# ÉNERGIE 3

méthode de français eso

livre de l'élève



Santillana
FRANÇAIS

# ÉNERGIE 3 CONTENUS

| | SITUATIONS DE COMMUNICATION<br>Compréhension - Expression | ACTES DE PAROLE | GRAMMAIRE EN SITUATION<br>Structures globales - Points de grammaire | LEXIQUE |
|---|---|---|---|---|
| **MODULE 1**<br>**L1** : p. 6-7<br>**L2** : p. 8-9<br>**L3** : p. 10-11<br>**L4** : p. 12-13<br>**L5** : p. 14-15 | L1 : « La rentrée, c'est dur pour toi ? » (test)<br>« Des mots de classe, des mots de passe » (échanges oraux)<br>L2 : « Exprime-toi ! » (graffitis, opinions)<br>L3 : « Cœur brisé » (feuilleton télévisé)<br>« Les émoticônes » (symboles graphiques) | L1 : Poser des questions (révision)<br>Communiquer en classe<br>L2 : Exprimer des opinions<br>Manifester ses goûts et préférences (révision)<br>L3 : Décrire et caractériser quelqu'un (révision) @<br>Manifester des sentiments et des émotions | L1 : L'interrogation : *inversion ; est-ce que… ; intonation* (révision)<br>Les mots interrogatifs (révision)<br>L2 : Les verbes au présent : 1^er^, 2^e^ et 3^e^ groupes<br>Les marques de l'oral et de l'écrit (révision et élargissement)<br>L3 : Le féminin des adjectifs : les adjectifs réguliers et irréguliers (révision et élargissement) | L1 : Le langage de la cla<br>L2 : Les expressions de l'opinion : *j'adore, ç m'agace, ça m'est*<br>L3 : Qualités et défauts, d'âme |
| **MODULE 2**<br>**L1** : p. 16-17<br>**L2** : p. 18-19<br>**L3** : p. 20-21<br>**L4** : p. 22-23<br>**L5** : p. 24-25 | L1 : « Quelle aventure ! » (récit oral, témoignage)<br>« Un fantôme au cinéma Lumière ? » (fait divers)<br>L2 : « Le Cendrillon de la maison » (chanson)<br>L3 : « Un billet qui a du nez ! » (BD) (mini-conversations) | L1 : Raconter une anecdote passée<br>Comparer un récit oral et un fait divers<br>L2 : Parler des tâches ménagères<br>Exprimer l'obligation<br>L3 : Raconter un parcours<br>Parler de ses sensations<br>Indiquer le lieu | L1 : Le passé composé : les auxiliaires *avoir* et *être*<br>L'accord du participe passé (révision)<br>L2 : L'obligation : *Il faut* + inf. ; *devoir* + inf.<br>Verbes du 3^e^ groupe : *devoir, savoir, offrir*<br>Les pronoms toniques : *moi, toi, lui, eux…*<br>*C'est (lui / elle) qui…*<br>Préposition + pronom tonique<br>L3 : Le pronom complément de lieu *y* | L1 : Les faits divers et la quotidienne<br>L2 : Les tâches ménagèr<br>Petits gestes écolo<br>L3 : La ville<br>Les grands nombres<br>*cent, mille, million.* |
| **TESTEZ VOS COMPÉTENCES 1** **(Livre, p. 26, 27 et Cahier, p. 30, 31) : Entraînement aux épreuves du DELF-A2 : PARLER – ÉCRIRE – LIRE – ÉCOU** | | | | |
| **MODULE 3**<br>**L1** : p. 28-29<br>**L2** : p. 30-31<br>**L3** : p. 32-33<br>**L4** : p. 34-35<br>**L5** : p. 36-37 | L1 : « En 2099… » (récit au passé)<br>L2 : « Souvenirs, souvenirs… » (témoignages)<br>« Interview » (interview faite à Haydé Ardalan)<br>L3 : « Horoscope spécial collège » (extrait de revue pour jeunes) | L1 : Raconter une situation au passé (révision)<br>Définir le cadre de la situation<br>Introduire un événement imprévu<br>Décrire un personnage imaginaire<br>L2 : Raconter des souvenirs<br>L3 : Faire des prédictions<br>Parler du futur | L1 : Les temps du récit au passé : l'imparfait pour la description du décor, le passé composé pour décrire les actions<br>L2 : L'imparfait (verbes réguliers et irréguliers)<br>L3 : Le futur (verbes réguliers et irréguliers)<br>La notion de futur (futur proche, futur simple, présent)<br>*Quand* + futur + futur | L1 : Les parties du visag<br>Le corps humain (ré<br>L2 : Les jeux<br>Les habitudes d'enf<br>L3 : Les signes du zodia<br>Expressions de temp liées au futur<br>L4 : Les sports |
| **MODULE 4**<br>**L1** : p. 38-39<br>**L2** : p. 40-41<br>**L3** : p. 42-43<br>**L4** : p. 44-45<br>**L5** : p. 46-47 | L1 : « Quelles sont vos habitudes musicales ? » (questionnaire)<br>« Jeunes espoirs de la chanson » (conversations)<br>L2 : « Chansons génération » (concours radiophonique)<br>L3 : « Le meilleur de Zebda » (BD-biographie)<br>« Une chanson de Zebda » (chanson) | L1 : Commenter ses habitudes musicales<br>Exprimer la fréquence<br>L2 : Définir de façon détaillée quelque chose ou quelqu'un @<br>L3 : Comparer des chansons et des groupes musicaux<br>Raconter la biographie d'un groupe | L1 : La négation et le passé composé<br>Les formes négatives : *rien… ne, personne… ne*<br>*Si*, réponse affirmative à une question négative<br>L2 : Les pronoms relatifs *(qui, que, où)*<br>La subordonnée relative<br>L3 : Comparatifs et superlatifs : *meilleur* et *mieux* | L1 : L'univers de la musi et de la chanson<br>Expressions tempor liées à la fréquence<br>L2 : Chansons et chante<br>L3 : Public d'un concert |
| **TESTEZ VOS COMPÉTENCES 2** **(Livre, p. 48, 49 et Cahier, p. 56, 57) : Entraînement aux épreuves du DELF-A2 : PARLER – ÉCRIRE – LIRE – ÉCOU** | | | | |
| **MODULE 5**<br>**L1** : p. 50-51<br>**L2** : p. 52-53<br>**L3** : p. 54-55<br>**L4** : p. 56-57<br>**L5** : p. 58-59 | L1 : « Allô, allô… ! » (conversations téléphoniques, messages sur répondeur, chanson)<br>L2 : « Conseils » (conversation et mails)<br>« Le courrier d'Anaïs » (lettres et conseils)<br>L3 : « Trop, c'est trop ! » (micro-conversations)<br>« Soins beauté » (recettes dans une revue) | L1 : Répondre au téléphone<br>Téléphoner à quelqu'un<br>L2 : Demander et donner un conseil<br>Argumenter<br>L3 : Préciser une quantité<br>Donner des recettes : ingrédients et mode d'emploi | L1 : Style direct et style indirect : *demander / dire de* + inf. ; *savoir si* + verbe ; *demander ce que*<br>L2 : La place des pronoms personnels COI<br>L3 : La place des adverbes de quantité<br>La formation des adverbes de manière | L1 : Expressions au télép<br>L2 : Expressions pour conseiller<br>Les relations familia<br>L3 : Les quantitatifs<br>Ingrédients, quantit<br>Verbes dans une rec |
| **MODULE 6**<br>**L1** : p. 60-61<br>**L2** : p. 62-63<br>**L3** : p. 64-65<br>**L4** : p. 66-67 | L1 : « Les sports d'aventure » (commentaires de photos)<br>« Un bébé à la maison… » (échanges avec un bébé)<br>L2 : « Le pot de fleurs assassin » (témoignage, jeu énigme) | L1 : Exprimer les différents moments de l'action<br>L2 : Raconter une situation au passé<br>Mener une enquête<br>Justifier un raisonnement | L1 : Les différents moments de l'action : *venir de* + inf., *être sur le point de* + inf., *être en train de* + inf., *aller* + inf.<br>L2 : Les nombres cardinaux et ordinaux | L1 : Les sports à risque<br>Autres sports<br>Soins à un bébé<br>L2 : Un immeuble : étag voisinage |
| **TESTEZ VOS COMPÉTENCES 3** **(Livre, p. 68, 69 et Cahier, p. 78, 79) : Entraînement aux épreuves du DELF-A2 : PARLER – ÉCRIRE – LIRE – ÉCOU** | | | | |

**Évaluation :**

Pour chaque module : Livre L5 « Êtes-vous capable de… ? » : bilan d'expression orale – Cahier L5 « Pour faire le point ! » : bilan d'expression écrite et grammaticale – Cahier personnel : auto-évaluation des quatre compétences ; fiches de Diversité individuelle pour faire un parcours autonome complémentaire.

**Techniques d'apprentissage :**

Livre : Module 1 : « Pour mieux mémoriser (1) » – Module 2 : « Pour mieux mémoriser (2) » – Module 3 : « Pour mieux lire à haute voix » – Module 4 : « Chanter pour mieux apprendre » – Module 5 : « Pour mieux parler au téléphone »

Cahier personnel : Module 1 : « Pour mieux s'organiser » – Module 2 : « Pour mieux faire fonctionner son cerveau (1) » – Module 3 : « Pour mieux travailler en groupe » – Module 4 : « Pour mieux préparer un exposé » – Module 5 : « Pour mieux faire fonctionner son cerveau (2) » – Module 6 : « Pour mieux organiser sa pensée »

| HONÉTIQUE | LECTURE - ÉCRITURE | PROJETS | DIVERSITÉ COLLECTIVE |
|---|---|---|---|
| 1 : *Écrit / Oral* : Les intonations et la ponctuation<br>2 : *Écoutez, observez, analysez* : Les terminaisons verbales au présent<br>3 : *Écoutez, observez, analysez* : La terminaison des adjectifs masculins et féminins | Livre L4 : *Doc Lecture* : « Trois photos, trois portraits » (description de trois jeunes)<br>Livre L4 : *Atelier d'écriture* : « La ponctuation »<br>*À vos plumes* : « Présentez quelqu'un que vous aimez bien »<br>Cahier L4 : *Doc Lecture* : « Bidache » (affiche pour annoncer une fête)<br>Cahier L4 : *Lecture - Écriture* : « La ponctuation »<br>Cahier L4 : *Orthographe* : « *à* ou *a* ? » | Livre L5 : « Voilà, nous sommes comme ça ! » (élaboration et présentation de sa fiche personnelle d'identité et du profil de classe) | Livre L3 : « Les opinions » (expression orale)<br>Livre L4 : *À vos plumes* : « Présentez quelqu'un que vous aimez bien » (expression écrite) |
| 1 : *Écrit / Oral* : [e] = *ai, é, es, és, ées, et, er, ez*<br>2 : *Écoutez, observez, analysez* : Les changements de radicaux des verbes du 3e groupe (*savoir, offrir, devoir*)<br>3 : *Écrit / Oral* : Voyelles orales / voyelles nasales | Livre L4 : *Doc Lecture* : « 24 heures dans la peau d'un prof » (récit chronologique d'activités)<br>Livre L4 : *Atelier d'écriture* : « Pour rédiger un décalogue »<br>*À vos plumes* : « Inventez un autre décalogue » @<br>Cahier L4 : *Doc Lecture* : « Kismet, une histoire vraie » (article de revue)<br>Cahier L4 : *Lecture - Écriture* : « 24 heures dans la peau d'un prof »<br>Cahier L4 : *Orthographe* : « *et* ou *est* ? » | Livre L5 : « La journée d'un objet » (récit en groupe et présentation devant un jury avec des supports visuels) | Livre L1 : « Quelle aventure ! » (compréhension orale)<br>Livre L2 : *Écoutez, observez, analysez* : « Le passé composé (révision) » (grammaire) |
| | | | |
| 1 : Lecture à haute voix<br>2 : *Écrit / Oral* : Le rythme de la phrase longue, les pauses, les *e* muets<br>*Écoutez, observez, analysez* : Les terminaisons de l'imparfait à l'oral et à l'écrit<br>Comparaison entre le présent et l'imparfait | Livre L4 : *Doc Lecture* : « Les Jeux olympiques dans l'antiquité » (texte informatif et définitions)<br>Livre L4 : *Atelier d'écriture* : « Raconter un souvenir »<br>*À vos plumes* : « Racontez le fait le plus cocasse de votre enfance » @<br>Cahier L4 : *Doc Lecture* : « Aller à l'école : quelle chance ! » (témoignage, texte narratif)<br>Cahier L4 : *Lecture - Écriture* : « Les Jeux olympiques »<br>Cahier L4 : *Orthographe* : « *ces, ses, s'est* ou *c'est* ? » | Livre L5 : « Métamorphoses » (récit de l'évolution d'un sujet ou d'un objet dans le temps : avant, maintenant, plus tard ; exposition et commentaires) | Livre L2 : « Quels étaient vos jeux préférés ? » (expression orale)<br>Livre L3 : « Horoscope spécial collège » (compréhension écrite) |
| 2 : La phrase longue et le paragraphe oral / écrit : groupes de souffle, pauses, intonations, accentuations à l'oral / ponctuation à l'écrit | Livre L5 : *Doc Lecture* : « Les origines des principaux genres musicaux » (informations)<br>Livre L4 : *Atelier d'écriture* : « Écrire une lettre »<br>*À vos plumes* : « Écrivez à un(e) ami(e) »<br>Cahier L4 : *Doc Lecture* : « Tu lis quoi dans la presse ? » (questionnaire)<br>Cahier L4 : *Lecture - Écriture* : « Les origines des genres musicaux »<br>Cahier L4 : *Orthographe* : « *ou* ou *où* ? » | Livre L5 : « La chanson qu'on aime » (présentation audiovisuelle devant un jury d'une chanson française qu'on aime bien et qu'on veut faire aimer) | Livre L2 : « De qui s'agit-il ? » (recherche d'informations)<br>Livre L4 : *À vos plumes* : « Écrivez à un(e) ami(e) » (expression écrite) |
| | | | |
| 3 : *Écrit / Oral* : la prononciation et l'écriture des consonnes qui frottent et qui claquent, sourdes et sonores<br>[f], [s], [ʃ] – sourdes<br>[v], [z], [ʒ] – sonores<br>[p], [t], [k] – sourdes<br>[b], [d], [g] – sonores | Livre L4 : *Doc Lecture* : « Pause publicité » (message publicitaire) ; « Trop de pub, réagissons », « Résistance à l'agression publicitaire » (affiches) @<br>Livre L4 : *Atelier d'écriture* : « Inventez des slogans »<br>*À vos plumes* : « Choisissez un produit et écrivez des slogans »<br>Cahier L4 : *Doc Lecture* : « Découverte alimentation, quelle industrie ! » (informations de vulgarisation scientifique)<br>Cahier L4 : *Lecture - Écriture* : « La pub »<br>Cahier L4 : *Orthographe* : « *la, là, l'a* ou *l'as* ? » | Livre L5 : « Bien dans ses mots, bien dans sa peau !!! » (préparation en groupe et présentation en direct ou sur cassette d'une émission radiophonique) | Livre L2 : *Observez et analysez* : « La place des pronoms personnels COI » (grammaire)<br>Livre L4 : *À vos plumes* : « Choisissez un produit et écrivez des slogans » (expression écrite) |
| 3 : *Écrit / Oral* : les liaisons, un phénomène créateur d'harmonie | Livre L3 : *Doc Lecture* : « Synchro, les artistes » (article de revue)<br>Livre L3 : *Atelier d'écriture* : « Poème »<br>*À vos plumes* : « Et votre vie ? Continuez ce poème » | Livre L4 : « Récit en photos » (élaboration d'un récit à partir de photos, accompagné de supports visuels et sonores) | Livre L1 : « Les sports d'aventure » (élargissement lexical) |
| | | | |

**ulture et thèmes transversaux :**

vre : Module 1 : rentrée scolaire, habitudes de classe, graffitis de Mai 68, relations affectives entre adolescents, expression de soi, connaissance des autres, créativité, symboles Internet, fêtes de village en France – Module 2 : journée d'un professeur d'espagnol en France, langage journalistique, lecture critique, co-éducation, chanter, organiser sa journée, participer aux tâches ménagères, respect de la nature, établir des normes, gestes écologiques, politesse, évolution des robots – Module 3 : science-fiction, acceptation des différences, psychologie (ce qui manque dans l'enfance), Jeux olympiques dans l'antiquité et actuellement, pauvreté en Inde – Module 4 : goûts musicaux selon les générations, valeur de la musique dans la vie quotidienne, groupes musicaux et chansons, le groupe Zebda et sa chanson « Tomber la chemise ». Origines des principaux genres musicaux, les adolescents vus par eux-mêmes, lecture de la presse – Module 5 : communication, conseils sentimentaux, regard critique sur… (le portable, la pub…), industrie de l'alimentation, soins de beauté, être bien dans sa peau – Module 6 : sports et risque, énigme policière, raisonnement logique et résolution d'énigmes criminelles, soins à un bébé, créativité poétique, co-évaluation, critères d'évaluation, natation synchronisée, travail d'équipe et Jeux olympiques

vre, pour chaque module : @ = activités Internet. – Cahier, du Module 1 au Module 5 : jeux de logique et jeux mathématiques

# Des lettres...

**L'écriture et la lecture sont les inventions les plus importantes de l'histoire de l'humanité. Grâce à elles, on peut communiquer, rêver, s'instruire et s'informer sur le monde. Lire et écrire, ce sont les premiers pas vers la liberté.**

## L'alphabet

1 **Comment se prononce l'alphabet en français ?** Écoutez et répétez.

| | | | | | | |
|---|---|---|---|---|---|---|
| **A** [ɑ] | **E** [ø] | **I** [i] | **M** [ɛm] | **Q** [ky] | **U** [y] | **Y** [igrɛk] |
| **B** [be] | **F** [ɛf] | **J** [ʒi] | **N** [ɛn] | **R** [ɛʀ] | **V** [ve] | **Z** [zɛd] |
| **C** [se] | **G** [ʒe] | **K** [kɑ] | **O** [o] | **S** [ɛs] | **W** [dubləve] | |
| **D** [de] | **H** [aʃ] | **L** [ɛl] | **P** [pe] | **T** [te] | **X** [iks] | |

**Attention !**

ll : 2 l (belle)

ç : c cédille (ça)

œ : e dans l'o (œuf)

ï : i tréma (maïs)

2 **Comparez avec votre langue.**

## Savoir épeler, c'est pratique !

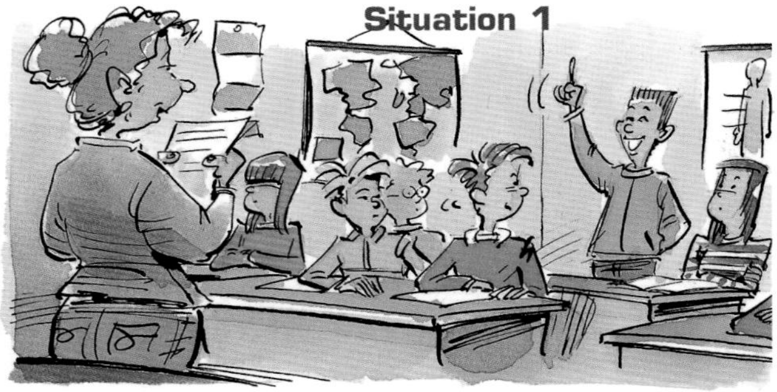
Situation 1

Situation 2

3 **Écoutez ces deux situations : qui parle ? où ? pourquoi ?** À quoi sert de connaître l'alphabet ?

4 **Réécoutez et notez les mots épelés.**

5 **Cherchez d'autres situations où épeler est utile et jouez la scène.**

## Jeux pour épeler

6 **Dessinez une lettre sur le dos de votre camarade, qui doit deviner de quelle lettre il s'agit.** Essayez ensuite avec des mots !

7 **Parlez avec vos mains !**
Communiquez entre vous en utilisant ce code.

### *LA LANGUE DES SIGNES*

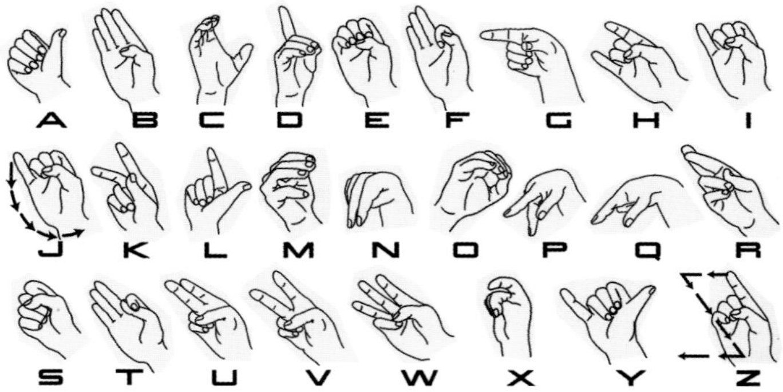
A B C D E F G H I
J K L M N O P Q R
S T U V W X Y Z

# ...et des sons

**8** **Lisez ces textes.** Qu'est-ce qu'ils ont de particulier ?

Mardi matin, Marine mange minutieusement mes minuscules mandarines. Mais moi, j'aime mieux manger méticuleusement mes mégamadeleines.

Vendredi, Viviane va en vélo vers la ville voisine.

Ton tonton Théo et ta tata Thérèse te taquinent tout le temps...

**9** En tandem, **inventez d'autres phrases sur les modèles précédents.**

## Les accents

**POURQUOI DES ACCENTS ?**

**1) Pour signaler une différence de prononciation.**

**é** : e accent aigu [e] : r**é**p**é**tez
**è** : e accent grave [ɛ] : rép**è**te, él**è**ve
**ê** : e accent circonflexe [ɛ] : f**ê**te, b**ê**te

Savez-vous que l'accent circonflexe remplace un « s » dans les mots d'origine latine ? Par exemple, le mot *hôpital* vient du mot latin *hospitalis.*

**2) Pour signaler une différence de sens à l'écrit.**

**DU / DÛ** : Il faut d**u** temps. / J'ai d**û** partir.
**OU / OÙ** : Tu vas au café **ou** au lycée ? / **Où** tu vas ?
**A / À** : Il **a** quatre enfants. / Il va **à** la mer.

**10** **En une minute, écrivez le maximum de mots accentués que vous connaissez.**

**11** **Écoutez et indiquez avec un geste quel accent porte le mot entendu.**

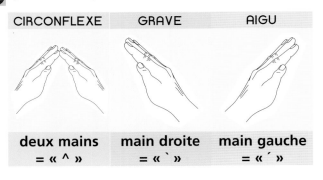

| CIRCONFLEXE | GRAVE | AIGU |
|---|---|---|

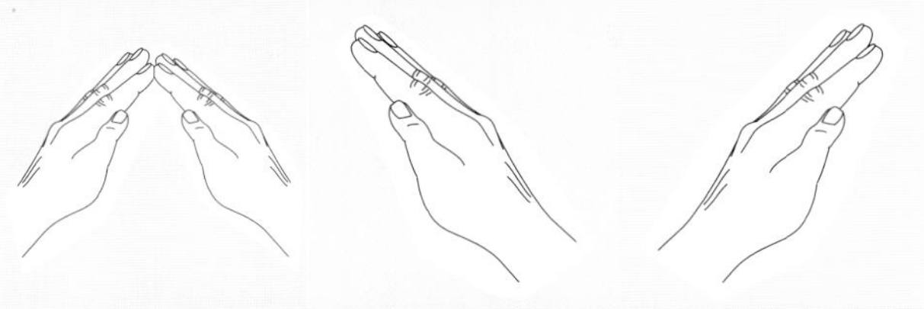

| deux mains = « ^ » | main droite = « ` » | main gauche = « ´ » |
|---|---|---|

## [kΣskidiz] ?

**12** **Connaissez-vous ces signes ?** Lisez à haute voix la conversation entre Toto et son père. Quelle est cette écriture ? À quoi sert-elle ?

[toto / tyasizorɑ̃ʒ / etyɑ̃aʒutyn / safɛkɔ̃bjɛ̃] ?
[ʒənsɛpa / alekɔl / ɔ̃kɔ̃ttuʒuʀavɛkde pɔm] !

**13** **Épelez pour déchiffrer ces messages.**

FAC NRJ GHTDCD

CLEV

COQP

# Test : La rentrée, c'est dur pour toi ?

**1 Tu es content(e) de recommencer le collège ?**
a) Oui, finalement, 2 mois de vacances, c'est long !
b) Non, j'aimerais être tout le temps en vacances.
c) Je ne sais pas, ça dépend…

**2 Quand as-tu acheté tes nouveaux livres ?**
a) Hier, à la dernière minute.
b) Il y a deux semaines.
c) Pas encore, il y a peut-être des changements…

**3 Est-ce que tu as mis ton bureau en ordre ?**
a) Oui, superficiellement.
b) En ordre ? Pour quoi faire ?
c) Oui, j'aime bien avoir mes affaires en ordre pour commencer l'année.

**4 À la rentrée, qu'est-ce que tu préfères ?**
a) Rien, je déteste la rentrée.
b) Revoir mes copains.
c) Découvrir des choses nouvelles.

**5 Qu'est-ce que tu as fait de tes livres de l'année dernière ?**
a) Ils sont par terre, dans ma chambre.
b) Je les ai passés à mon frère.
c) Je les ai jetés à la poubelle.

**6 D'habitude, comment te sens-tu le jour de la rentrée ?**
a) Je suis très impatient(e).
b) J'ai le moral à zéro.
c) Je suis un peu angoissé(e).

**7 Ce jour-là, à quelle heure arrives-tu au collège ?**
a) À l'heure, comme d'habitude.
b) Légèrement en retard.
c) Très en avance, pour revoir tous mes copains.

**8 Qu'est-ce que tu mets le jour de la rentrée ?**
a) Un tee-shirt tout neuf.
b) Ce que je porte d'habitude.
c) Ce jean qui me va si bien.

**TON SCORE :**

| N° | 1 | 2 | 3 | 4 | 5 | 6 | 7 | 8 |
|---|---|---|---|---|---|---|---|---|
| A | 3 | 2 | 2 | 1 | 2 | 3 | 2 | 3 |
| B | 1 | 3 | 1 | 2 | 3 | 1 | 1 | 1 |
| C | 2 | 1 | 3 | 3 | 1 | 2 | 3 | 2 |

POUR MIEUX S'ORGANISER Voir Cahier personnel, page 11.

**RÉSULTATS :**

**Plus de 24 points ! : « Le collège, enfin ! »**
Tu t'es bien amusé(e) pendant ces vacances. Mais tes copains et le collège te manquent. Pour toi, la rentrée n'a rien de dur, au contraire ! C'est un vrai plaisir. Espérons que ça continuera…

**De 16 à 23 points : « Finies les vacances »**
Tu préfères sans doute les vacances mais heureusement, à la rentrée, il y a les copains, la récré et les cours de … que tu aimes tant. Bon courage !

**Moins de 16 points : « La rentrée ?! Oh non, pitié ! »**
Sois courageux / euse, regarde les choses en face. Le collège existe : il faut accepter la réalité. Pourquoi ne veux-tu pas prendre les choses du bon côté ?

## Écoutez, observez, analysez

**LA PHRASE INTERROGATIVE (RÉVISION)**

**Il y a trois manières de poser des questions en français :**

1) L'intonation ascendante.
Tu es content ? ↗
2) « Est-ce que… ? »
Est-ce que tu es content ?
3) L'inversion du sujet.
Es-tu content ?

⚠ Viendra-t-il ? Écoute-t-elle ?

**À quoi sert ce « -t- » ?**

**LES MOTS INTERROGATIFS**

**Ils servent à poser des questions sur une partie de la phrase.**

Qui n'est pas là ?
Quand as-tu acheté tes livres ?
Comment te sens-tu ?
Pourquoi tu ne parles pas ?
Combien de professeurs on a ?
Où est Nicolas ?
Quel est le jour de la rentrée ?

**Les mots interrogatifs permettent, en général, les trois types d'interrogation.**

1) Tu te sens comment ?
2) Comment est-ce que tu te sens ?
3) Comment te sens-tu ?

**Écoutez et posez d'une autre façon les questions entendues.**

# Des mots de classe, des mots de passe

**Voici les phrases que vous entendez souvent pendant le cours de français.**

## 1 Le cours commence...

Écoutez et imitez les intonations.

Allez, allez ! Vous êtes prêts ?
Un peu de silence, s'il vous plaît.
Je fais l'appel.
Alors, Mireille, tu te réveilles ?
Nicole, Gérard, toujours en retard !
Renaud, assieds-toi comme il faut !
Et toi, Adrien, tu ne dis rien ?
Tout le monde est là ?
Qui est absent ?
C'est Nicolas ?
Mais qu'est-ce qu'il a ?
Ne parlez pas tous à la fois !
Il est malade ?

Il a séché, il a séché !

Allez, allez ! ...

## 2 Le cours avance...

Écoutez et scandez.

On parle, on écoute, on répète.
On se tait, on lit, on écrit.
On joue, on rit, on réagit.
On fait attention à l'intonation.
On chante en français.
On pose des questions.
On se corrige, on s'applaudit.
On fait travailler l'imagination.

On joue, on rit...

## 3 Le cours finit...

Écoutez, mémorisez et mettez en scène.

Ça sonne ! C'est l'heure !
Notons les devoirs sur nos agendas.
C'est l'heure !
Rangeons nos affaires, disons au revoir.
C'est l'heure !
J'efface le tableau, tu ranges les chaises ?
C'est l'heure !
J'éteins la lumière, tu jettes ces papiers ?
C'est l'heure ! C'est l'heure !

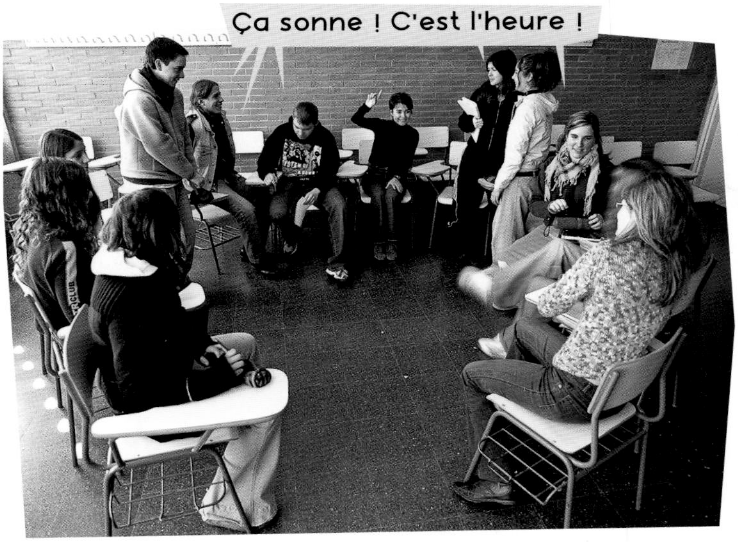
Ça sonne ! C'est l'heure !

### POUR MIEUX MÉMORISER (1)

Exagérer une intonation, faire monter ou descendre la voix, accompagner une phrase d'un geste ou d'un rythme aide à mieux retenir une phrase ou une expression.

## 4 Imaginez d'autres manières de reproduire ces mots de classe.

Vous pouvez rajouter d'autres phrases, bien sûr !

### ÉcritOralÉcritOralÉcritOral

**LES INTONATIONS ET LA PONCTUATION**

**Écoutez trois interprétations différentes de chaque phrase. Pourquoi le sens change-t-il ?**
**À l'écrit, quel signe de ponctuation marque la différence ?**
***Exemple : C'est ton frère. C'est ton frère ? C'est ton frère !***

# Exprime-toi !

**Mai 68, la révolte des étudiants et des ouvriers...**
**Un mois qui est devenu un symbole de liberté et de contestation.**
**Voici quelques slogans qui ont été écrits, à cette époque, sur les murs de Paris.**

LA LIBERTÉ, C'EST LE DROIT AU SILENCE
Les murs ont des oreilles, vos oreilles ont des murs
IL EST INTERDIT D'INTERDIRE
Faites l'amour, pas la guerre
L'IMAGINATION AU POUVOIR

1 **Lisez les graffitis en silence.**

2 **À tour de rôle, lisez à haute voix le(s) slogan(s) que vous préférez.**

3 **Quelles sont les revendications des jeunes qui ont écrit ces slogans ?**

4 **Écoutez ces opinions.** À quelles bulles correspondent-elles ?
Lesquelles sont positives ? Lesquelles sont négatives ? Lesquelles sont neutres ?

Diversité

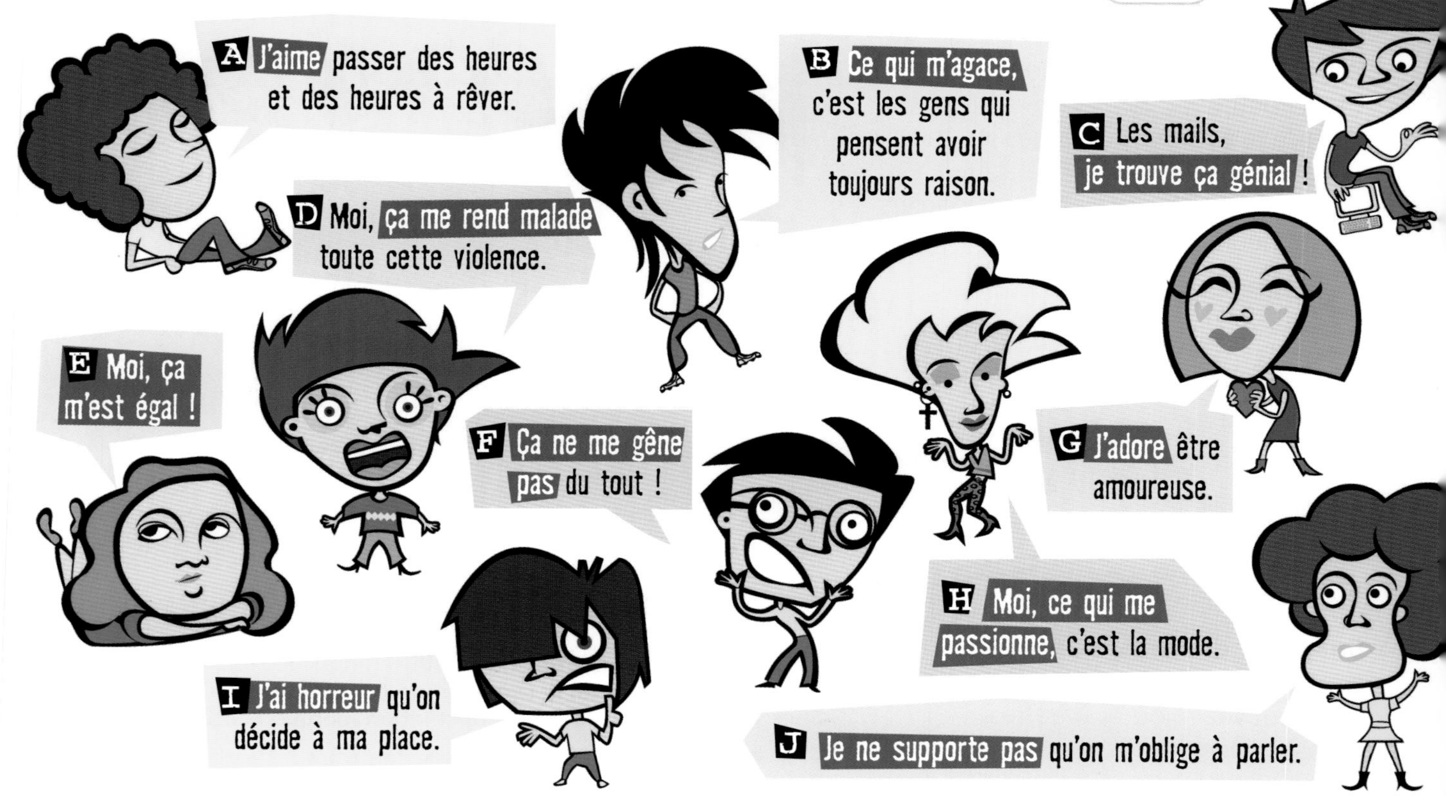
A J'aime passer des heures et des heures à rêver.
B Ce qui m'agace, c'est les gens qui pensent avoir toujours raison.
C Les mails, je trouve ça génial !
D Moi, ça me rend malade toute cette violence.
E Moi, ça m'est égal !
F Ça ne me gêne pas du tout !
G J'adore être amoureuse.
H Moi, ce qui me passionne, c'est la mode.
I J'ai horreur qu'on décide à ma place.
J Je ne supporte pas qu'on m'oblige à parler.

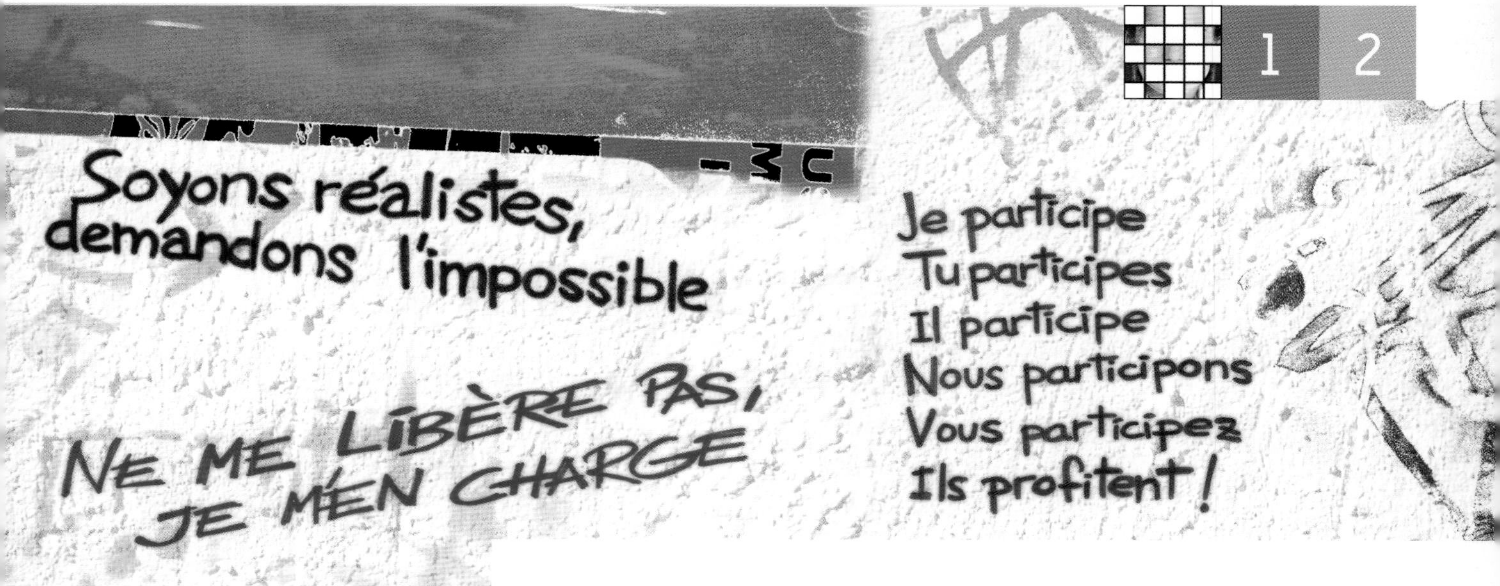
Soyons réalistes, demandons l'impossible
Je participe
Tu participes
Il participe
Nous participons
Vous participez
Ils profitent !
NE ME LIBÈRE PAS, JE M'EN CHARGE

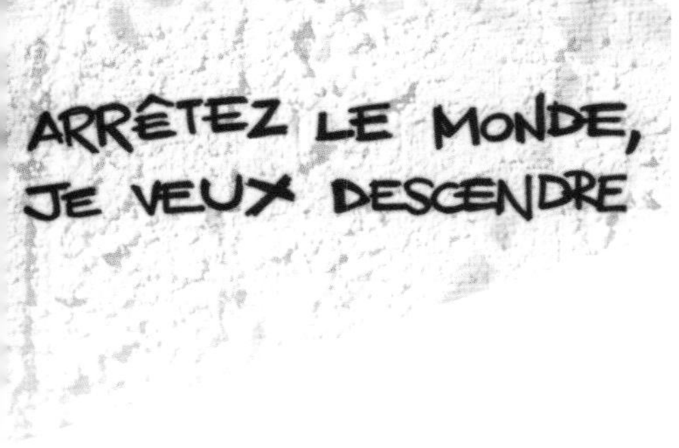
ARRÊTEZ LE MONDE, JE VEUX DESCENDRE

**5** **Quels slogans de Mai 68 pourrait-on associer aux opinions de l'activité précédente ?**

**6** **Oral en tandem.** Deux par deux, réagissez devant ces situations en utilisant les expressions de l'activité 4.

**1)** S'embrasser dans la rue.
**2)** Cracher par terre.
**3)** Faire du bruit en mangeant.
**4)** Promener son chien.
**5)** Arriver toujours en avance.
**6)** Travailler en musique.
**7)** Crier.
**8)** Offrir des cadeaux.

*Exemple :*

- *Tu aimes les fêtes-surprises ?*
- *Oui. J'adore ça et toi ?*
- *Moi, ça me rend malade !*

# Drôles de conjugaisons !

**7** **Sur le modèle du graffiti trouvé sur un mur de Paris en Mai 68, voici d'autres conjugaisons insolites.**

| | | |
|---|---|---|
| Je crie | Je viens | J'obéis |
| Tu cries | Tu viens | Tu obéis |
| Elle crie | Elle vient | Il obéit |
| Nous crions | Nous venons | Nous obéissons |
| Vous criez | Vous venez | Vous obéissez |
| Ils se taisent ! | Ils partent ! | Elles se révoltent ! |

**8** **À vous de continuer !** Pour vous aider, consultez votre « Aide-mémoire » (Conjugaisons).

## Écoutez, observez, analysez

**LE PRÉSENT DE L'INDICATIF (RÉVISION)**

**A** **Écoutez et lisez. Remarquez les différences, à l'oral et à l'écrit.**

| **1er groupe Verbes en -ER** | **2e groupe Verbes en -IR** | **3e groupe Verbes en -IR, -RE, -OIR** |
|---|---|---|
| *parler, aimer, adorer, écouter, entrer, jouer…* | *grandir, choisir, obéir, réussir, grossir, rougir…* | -IR *venir, ouvrir, sortir, partir*<br>-RE *prendre, mettre*<br>-OIR *pouvoir, savoir* |
| je cherche<br>tu cherch**es**<br>elle cherche<br>nous cherch**ons**<br>vous cherch**ez**<br>elles cherch**ent** | je fini**s**<br>tu fini**s**<br>il fini**t**<br>nous fini**ssons**<br>vous fini**ssez**<br>ils fini**ssent** | je vien**s**, nous ven**ons**,<br>ils vienn**ent**<br>je prend**s**, nous pren**ons**,<br>ils prenn**ent**<br>je peu**x**, nous pouv**ons**,<br>ils peuv**ent** |

**B** **Écoutez, écrivez et relisez à haute voix. Combien de fois on prononce la même terminaison ? Combien de fois on écrit la même terminaison ?**

# Cœur brisé

Cœur brisé
épisode 4567
Sophie-Charlotte ! Enfin ! J'ai besoin de parler avec toi...
Désolée, Louis-Henri, mais je ne peux pas. J'ai rendez-vous avec Édouard-Antoine.
Oh ! Pourquoi es-tu aussi dure avec moi ? Je suis triste sans toi, je me sens seul...
Écoute, Louis-Henri, je vais être franche avec toi... C'est fini entre nous.
Pourquoi ? Je ne comprends pas... Je suis riche, je suis beau, je suis sportif...
Oui, mais tu ne sais pas danser et puis, je suis amoureuse d'Édouard-Antoine.
Il sait danser, lui ?
Ah oui ! il danse comme un dieu !!!
Ce n'est pas possible... tu ne me dis pas la vérité. Pourquoi es-tu si méchante avec moi ?
Je ne suis pas méchante, je suis sincère.
Oh ! que tu es cruelle ! tu me brises le cœur...
Louis-Henri... Adieu !
Oh ! je me sens si malheureux... mais il faut regarder l'avenir en face !
Bonjour, mademoiselle, la place est libre ? Vous êtes seule ?
Que se passera-t-il ? Ne manquez pas l'épisode 4568. Rendez-vous demain à la même heure !

**1 Écoutez et lisez ce feuilleton télévisé.**

**1)** Quelles sont les « qualités » de Louis-Henri ?
**2)** Quel est son seul « défaut » ?
**3)** Comment se sent-il ?
**4)** Que reproche-t-il à Sophie-Charlotte ?
**5)** Quelle est la plus grande qualité de Sophie-Charlotte ?

**2 Décrivez les deux personnages principaux de cette scène.**

**3 Jouez la scène.** Lecture théâtralisée. Exagérez les intonations !

# Les émoticônes

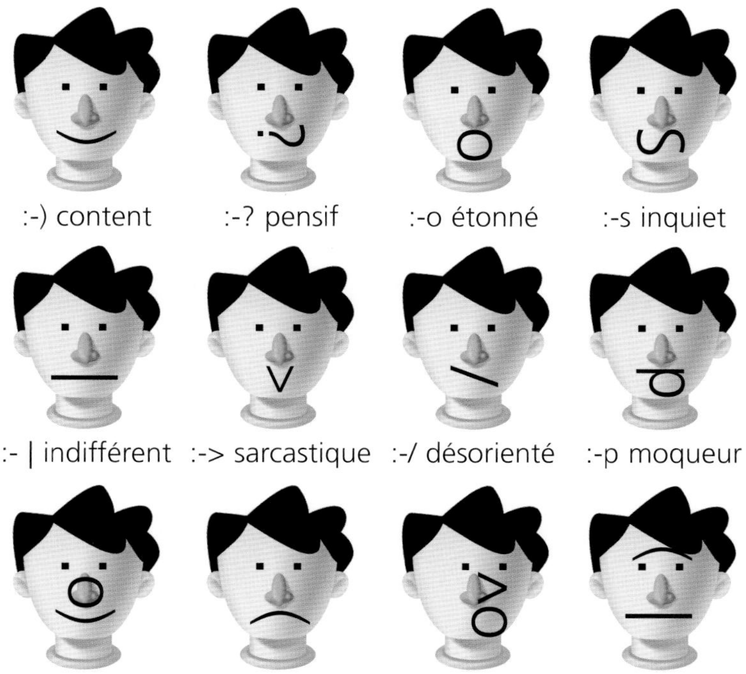

:-) content | :-? pensif | :-o étonné | :-s inquiet

:- | indifférent | :-> sarcastique | :-/ désorienté | :-p moqueur

: o) drôle | :-( triste | :^o menteur | ( :| fatigué

## Qui a inventé et à quoi servent les émoticônes ?

Le mot « emoticône » vient de l'anglais « emotion » et « icon ». Il se traduit en français par « frimousse » ou « émoticône », soit une icône (image) qui traduit une émotion.
Ils sont utilisés dans le IRC (Internet Relay Chat, système de discussion sur Internet). Ils permettent de montrer rapidement, simplement et parfois discrètement une idée d'ordre émotionnel.
Son inventeur, Scott E. Falhman, est chercheur en informatique du département Computer Science de la Carnegie Mellon University de Pittsburgh.
Son premier message est daté du 19 septembre 1982 !

## Écoutez, observez, analysez

**LE GENRE DES ADJECTIFS (RÉVISION)**

**A** **Vous connaissez déjà la règle générale de formation du féminin des adjectifs à l'écrit.**

| | |
|---|---|
| dur | dure |
| seul | seule |
| méchant | méchante |

**Trouvez d'autres exemples.**

**B** **Il y a des cas particuliers. Observez.**

| | | | |
|---|---|---|---|
| cruel | cruelle | naturel | naturelle |
| malheureux | malheureuse | amoureux | amoureuse |
| sportif | sportive | expressif | expressive |
| franc | franche | blanc | blanche |
| beau | belle | nouveau | nouvelle |

**Complétez cette liste avec d'autres adjectifs irréguliers que vous connaissez.**

**C** **Rappelez-vous aussi cette autre catégorie.**

| | | | |
|---|---|---|---|
| riche | riche | sincère | sincère |
| libre | libre | triste | triste |

**Qu'est-ce qui la caractérise ? Ajoutez d'autres exemples.**

**D** **Maintenant, écoutez ces phrases au féminin et trouvez le masculin correspondant.**

**4** **Lisez ces phrases en remplaçant les émoticônes.**

1) Je suis :-) parce qu'il fait beau.

2) Je suis :-( parce que tu n'es pas là.

3) Tu es :^o, mais je t'aime.

4) Et toi, tu es :->, mais je t'aime aussi.

5) Je suis :-s, sans nouvelles de toi.

**5** **Faites la description de quelqu'un de votre entourage avec ses qualités et ses défauts.**

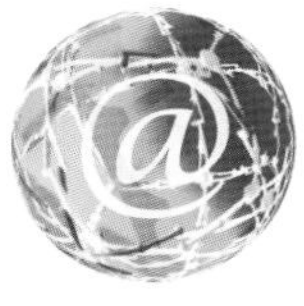

Envoyez un mail à un(e) ami(e) en lui expliquant votre état d'âme. N'oubliez pas les émoticônes !

# DOC LECTURE

## Trois photos, trois portraits

**Lisez les portraits de ces jeunes. Que savez-vous de leur famille, leurs amis, leur caractère, leurs loisirs, leurs goûts, ce qui est le plus important pour eux, etc. Relevez les phrases qui contiennent ces informations.**

Salut ! Moi, c'est Charlotte. J'ai 17 ans et j'habite à Lyon.
Dans la vie de tous les jours, je ne fais pas d'activité extra-scolaire mais, pendant les vacances, j'adore faire du surf (sur l'eau) et surtout du parapente... bref, que des sports que je ne peux pas pratiquer à Lyon !
Donc, de temps en temps pour m'amuser, je joue de la guitare. C'est elle mon objet favori car on peut en jouer avec précision et attention ou faire la folle sur des musiques horribles. Cependant, je n'aime pas en jouer en public car je suis « timide ».
Ma guitare, c'est une sorte de clé pour ouvrir mon jardin secret...

Je m'appelle Manuel et j'ai 14 ans. Je suis bon à l'école, mais je n'aime pas tellement les études. J'adore le snowboard et jouer sur Internet avec mes amis. Une chose qui me fascine, c'est faire du diabolo. J'aime ça parce qu'il y a une infinité de figures à faire. Je me vois dans un cirque, en train de faire un numéro spectaculaire... mon public complètement hypnotisé...
J'aimerais aussi faire du diabolo à feu, mais pour le moment, mes parents ne sont pas d'accord. Ils trouvent ça trop dangereux. Ma couleur préférée, c'est le rouge. Ça me fait penser aux murs des magasins électro, aux T-shirts de mon équipe et au ketchup !

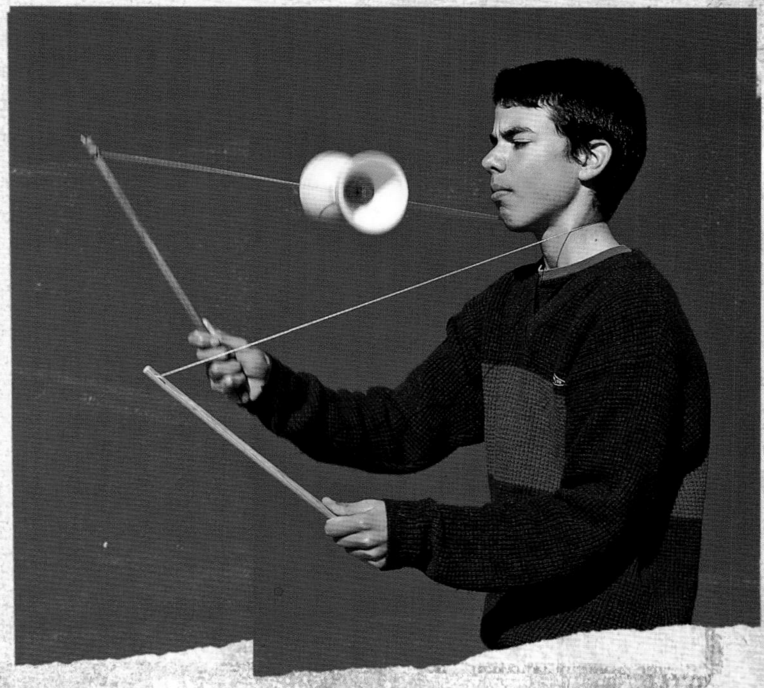

Je m'appelle Charles. J'ai 18 ans. Je fais du VTT, de l'escalade, de la randonnée. Je me sens vraiment bien quand je suis dans la nature. J'adore aussi danser et écouter de la musique latine, du reggae.
Ma couleur préférée, c'est le vert. Ça me rappelle les paysages de mon enfance à Santo Domingo. Des fois je regrette ma famille qui est restée là-bas...
Je suis très gai, je déteste les disputes. J'ai horreur de la violence. Je pense que, quand il y a des problèmes, un sourire peut tout arranger. Je suis lycéen et je travaille comme moniteur de sport avec des petits de 4 à 6 ans. Ça se passe bien avec eux mais des fois ils sont difficiles à contrôler.

# Atelier d'écriture

## La ponctuation

La ponctuation donne du sens au texte écrit.
Sans ponctuation, un texte est difficile à comprendre.

Je m'appelle Ariane. J'ai 15 ans et ma devise dans la vie, c'est « Vive la différence ! » J'apprécie les personnes différentes de moi, qui n'ont pas mes goûts (c'est plus intéressant). Par exemple, côté musique, j'aime le R'n'b, mais je suis aussi la seule du groupe à être fan d'Enrique Iglesias. Ça fait rire mes amies, mais ce n'est pas grave, on s'accepte comme on est et moi, je dis ce que je pense.
Je ne suis pas pressée de grandir, je prends mon temps. Ma vie me plaît, mes amis filles et garçons comptent beaucoup, ma famille aussi. J'aime un peu tout : écouter de la musique, aller au ciné, lire -surtout des romans d'aventures- marcher dans le parc avec mes copines...
L'objet le plus important pour moi ? Une marionnette hindoue offerte par ma meilleure amie. Dans ma chambre, elle est sur une étagère à côté de deux petits objets en bois fabriqués par mon père quand j'étais petite ; je les garde précieusement, ils me rappellent mon enfance.

**guillemets** · **majuscule** · **parenthèses** · **point d'interrogation** · **point-virgule** · **point d'exclamation** · **virgule** · **point** · **point à la ligne** · **points de suspension** · **point final**

### *À vos plumes !*

**Présentez quelqu'un que vous aimez bien.** Vous pouvez parler de sa famille, de ses amis, de ses loisirs, de ce qu'il / elle aime, de ce qu'il / elle déteste, de sa couleur préférée, de l'objet le plus important pour lui / elle, etc. N'oubliez pas les signes de ponctuation !

Diversité

# PROJET Voilà, nous sommes comme ça !

**1 Élaborez votre fiche d'identité : collez une photo de vous sur une demi-feuille de papier Canson.**

**Prénom :** Marina.
**Ma phrase préférée :** « Dans la vie, il y a deux choses qui n'ont pas de limites : l'univers et la stupidité humaine ».
**Ma couleur :** l'orange.
**Ma passion :** la mer, la montagne…
**Mon loisir préféré :** lire.
**Le sport que j'adore :** l'alpinisme.
**Mes vacances idéales :** à Mallorca, au bord de la mer.
**Mon style musical :** J'aime tout.
**Le dernier CD que j'ai acheté :** *Bebe.*
**Mon film préféré :** *Amélie, Billy Elliot.*
**Mon livre de chevet :** *La Jeune fille à la perle, Le Seigneur des anneaux.*
**Mon menu préféré :** une sole au citron et des mandarines.
**Ce qui m'agace :** qu'on me réveille, qu'on m'ignore, la guerre, la pollution…
**Mon principal trait de caractère :** Je suis responsable, gaie et assez originale.
**Ce qui me fait vraiment plaisir :** contempler la nature…

**Prénom :** Joan.
**Ma phrase préférée :** « La vie est trop courte pour qu'on passe son temps à se fâcher ».
**Ma couleur :** le jaune.
**Ma passion :** J'aime lire et écouter de la musique.
**Mon loisir préféré :** faire du sport.
**Le sport que j'adore :** J'adore le foot.
**Mes vacances idéales :** en Bretagne.
**Mon style musical :** le ska.
**Le dernier CD que j'ai acheté :** un CD de Korkatu.
**Mon film préféré :** *Terre et Liberté.*
**Mon livre de chevet :** *L'Île mystérieuse.*
**Mon menu préféré :** des moules avec des frites.
**Ce qui m'agace :** manger du poisson et le Hip Hop.
**Mon principal trait de caractère :** Je suis très timide.
**Ce qui me fait vraiment plaisir :** sortir avec mes amis.

**2 Décorez les murs de la classe avec vos fiches personnelles.**

**3 Établissez le profil de votre classe.** Choisissez un des items de la fiche. Relevez toutes les réponses de vos camarades et présentez-les sous forme de grille. Affichez-les et commentez-les.
*Exemple :*

| Les sports qu'on adore | Nombre d'élèves |
|---|---|
| Basket | 7 |
| Foot | 7 |
| Natation | 2 |
| Tennis | 2 |
| Aucun | 3 |

Envoyez cette fiche à votre correspondant(e).

@

# TEST DE COMPRÉHENSION ORALE !!!

## Bienvenue à Top Musique

Cahier d'exercices, page 16

# ÊTES-VOUS CAPABLE DE...?

## DONNER DES INFORMATIONS PERSONNELLES SUR VOUS

oui non (Voir Livre, p. 12, 13, 14)

**1 Répondez à ces questions.**

**1)** Quel est votre nom ? et votre prénom ?
**2)** Quelle est votre date de naissance ?
**3)** Où est-ce que vous êtes né(e) ? Dans quelle ville ?
**4)** Quelle est votre nationalité ?
**5)** Où est-ce que vous habitez ? Dans quel pays ?
**6)** Dites trois qualités qui vous caractérisent.
**7)** Et maintenant trois défauts.
**8)** En général, qu'est-ce qui vous agace spécialement ?
**9)** En général, qu'est-ce que vous aimez particulièrement ?
**10)** Dites le nom de trois personnages que vous admirez et leurs qualités.

Score / 10

## COMMUNIQUER EN CLASSE

oui non (Voir Livre, p. 7)

**2 Réagissez.**

**1)** Dites sept actions que vous réalisez en classe de français.
**2)** Dites trois ordres que vous entendez souvent en classe.
**3)** Posez cinq questions utiles en cours de français.

Score / 6

## POSER LA MÊME QUESTION DE FAÇON DIFFÉRENTE

oui non (Voir Livre, p. 6)

**3 Trouvez deux autres manières de poser la même question.**

**1)** Tu es contente ?
**2)** Elle parle italien ?
**3)** Vos cours, à quelle heure commencent-ils ?
**4)** Comment allez-vous ?
**5)** Où est-ce que vous êtes né(e) ?

Score / 10

## CONJUGUER AU PRÉSENT LES VERBES DES TROIS GROUPES

oui non (Voir Livre, p. 8, 9)

**4 Récitez au présent les verbes suivants :**
**a)** participer **b)** finir **c)** pouvoir **d)** aller

Score / 4

## LIRE EN RESPECTANT LES SIGNES DE PONCTUATION

oui non (Voir Livre, p. 7)

**5 Lisez ces phrases en respectant leur ponctuation.**

**1)** Messieurs ! Les Anglais ! Tirez les premiers !!!
**2)** Messieurs les Anglais, tirez les premiers !

**Quelle est la différence entre les deux situations ?**

Score / 3

## DÉCRIRE ET PRÉSENTER QUELQU'UN

oui non (Voir Livre, p. 10, 11, 12, 13)

**6 À partir de la photo et de ces renseignements, présentez et décrivez cette personne.**

Frédéric.
17, rue de la Poste à Béziers.
Classe de 3e.
Une sœur (5 ans).
Couleurs préférées : le rouge et le bleu.
Musique : le rap français.
Lectures : le journal sportif *L'Équipe*.
Loisirs : sports et jeux vidéo.
Repas : pizza et glace au chocolat.
Caractère : timide, un peu impulsif ; aime les responsabilités.

Score / 7

Score total / 40

- Raconter un événement au passé
- Comparer un récit oral et le fait divers correspondant

# Quelle aventure !

Diversité

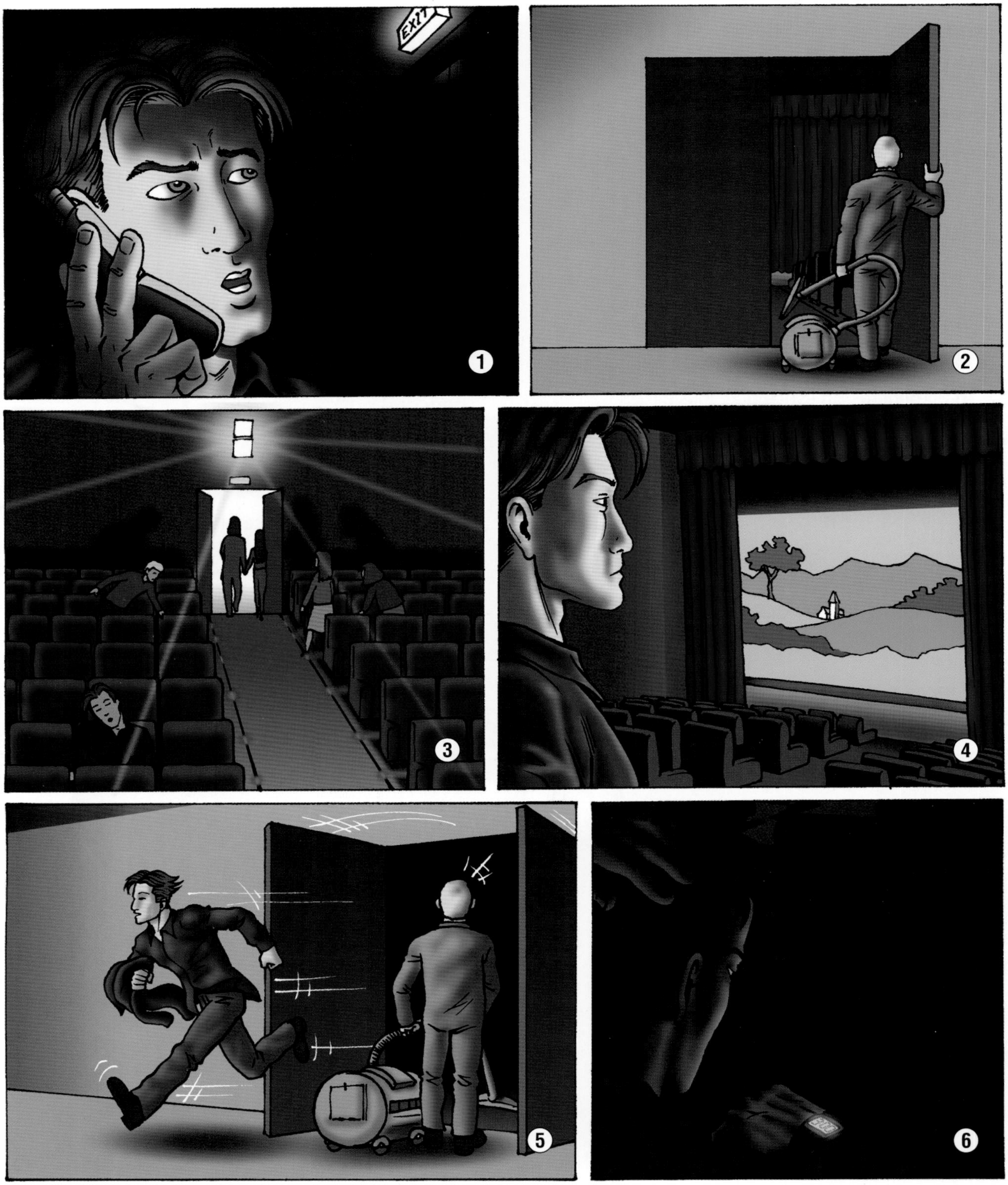
EXIT

**1** **Observez les illustrations et écoutez cette conversation.** Deux illustrations ne correspondent pas à la situation ? Lesquelles ?

**2** **Réécoutez les deux jeunes.** Indiquez l'ordre correct des vignettes et reconstituez l'histoire : qui ? quand ? quoi ? pourquoi ?

POUR MIEUX FAIRE FONCTIONNER SON CERVEAU (1)
Voir Cahier personnel, page 12.

Qu'est-ce qui t'est arrivé ?
Ben, rien, je n'ai pas aimé le film... alors, je me suis endormi...
Qu'est-ce que tu as fait ?
J'ai appelé, j'ai crié, j'ai frappé très fort à la porte...
Et qui est-ce qui t'a réveillé ?
Un monsieur qui est entré dans la salle...


# Fait divers

## Un fantôme au cinéma Lumière ?

Vendredi matin, monsieur Parigot, employé de salle au cinéma Lumière, a eu la plus grande frayeur de sa vie. Quand il a ouvert la grande salle pour passer l'aspirateur, il a vu une sorte de tourbillon qui lui a dit quelque chose d'inintelligible.

Monsieur Parigot a eu tellement peur qu'il a eu une crise de nerfs. Persuadé d'avoir vu un fantôme, il a été placé en observation à l'hôpital où on lui a administré des calmants. Les employés du local refusent de reprendre leur travail et demandent à la municipalité plus de surveillance.

**3** **À l'aide de ces questions, comparez ce fait divers avec l'histoire de la page précédente.**

*Exemple :*
*Qui est le personnage principal ?*
*Qu'est-ce qui s'est passé ?*
*Comment a-t-il réagi ?*

Où ? Qui ? Quand ? Quoi ? Pourquoi ? Comment ?

**4** **Oral en tandem.** Pensez à une autre anecdote ou à un fait divers et posez-vous ces questions.

## ÉcritOralÉcritOralÉcritOral

**LE SON [e] : FACILE À PRONONCER, DIFFICILE À ÉCRIRE**

**A** **Repérez et entourez les graphies correspondant au son [e], puis relisez à haute voix.**
J'ai cherché mes clés et je ne les ai pas trouvées, je ne peux pas rentrer chez moi ! Je dois téléphoner à un serrurier !

**B** **Écrivez et prononcez d'autres phrases contenant des mots avec le son [e].**

## Écoutez, observez, analysez

Diversité

**LE PASSÉ COMPOSÉ (RÉVISION)**

| parler | venir | se lever |
|---|---|---|
| j'ai parlé | je suis venu(e) | je me suis levé(e) |
| tu as parlé | tu es venu(e) | tu t'es levé(e) |
| il a parlé | il est venu | il s'est levé |
| elle a parlé | elle est venue | elle s'est levée |
| nous avons parlé | nous sommes venu(e)s | nous nous sommes levé(e)s |
| vous avez parlé | vous êtes venu(e)(s) | vous vous êtes levé(e)(s) |
| ils ont parlé | ils sont venus | ils se sont levés |
| elles ont parlé | elles sont venues | elles se sont levées |

⚠ Quand on = nous : On est venus. On s'est lavées.

**Rappelez-vous...**

**A** **Dans quel cas on utilise l'auxiliaire *avoir* ? et *être* ?**

**B** **Comment s'accorde le participe passé ?**

**C** **Parfois, on confond le présent et le passé composé à l'oral. Levez la main quand vous entendez le passé composé.**

- Parler des tâches ménagères
- Exprimer l'obligation
- Mettre en relief la personne qui réalise une action

# Le Cendrillon de la maison

**1 Écoutez cette chanson.** Pourquoi ce jeune proteste-t-il ?

Je suis le Cendrillon
De la maison.
C'est moi qui fais tout.
Les autres ne font rien.

C'est moi qui fais la vaisselle,
C'est moi qui vide la poubelle,
Qui range le salon,
Qui enlève la poussière,
Qui promène le chien.
Les autres ne font rien.

*Refrain :*

C'est moi qui fais tout.
Toi, tout ?
Les autres ne font rien.
Nous ? Rien ?
Il est fou ! Il est fou !
Mais qu'est-ce qu'il dit ?
Qu'est-ce qu'il raconte ?
Il ne fait rien du tout.

J'ai du boulot, trop de boulot !

Les repas à préparer,
Le linge à repasser,
Les toilettes à nettoyer.
Quel stress !
En plus, je dois :
Ranger mes baskets,
Repasser mes pantalons,
Laver mes chaussettes.
Ras le bol !!!

*Refrain*

J'ai du boulot, trop de boulot !

Débarrasser la table,
Passer l'aspirateur,
Arroser les plantes.
Fini l'ordinateur !

En plus, il faut :
Vider le lave-vaisselle,
Ranger les couverts,
Les assiettes, les verres.
Trop de choses à faire !

*Refrain*

J'ai du boulot, trop de boulot !

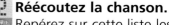

**POUR MIEUX MÉMORISER (2)**

S'appuyer sur un dessin, évoquer mentalement une image, mimer, répéter, écrire, classer... aident à mieux mémoriser.
Entraînez-vous à partir de la liste des tâches ménagères.

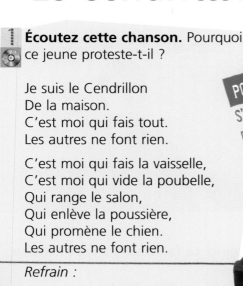

**2 Réécoutez la chanson.** Repérez sur cette liste les tâches ménagères nommées par le jeune homme.

- Passer l'aspirateur
- Faire la vaisselle 
- Ranger le salon
- Étendre le linge
- Balayer 
- Enlever la poussière 
- Promener le chien
- Vider la poubelle
- Faire les courses
- Repasser 
- Ramasser le linge
- Arroser les plantes 
- Nettoyer les toilettes 
- Faire la cuisine

**3 Chantez et mimez : un groupe chante, l'autre mime.**

**4 Réécoutez la chanson.** Combien de fois on répète : *C'est ... qui / Il faut* + infinitif / *Je dois* + infinitif ?

## L'obligation

**Il faut faire** le ménage.
**Je dois faire** mon lit.

## Observez et analysez

**LES PRONOMS TONIQUES**

| | |
|---|---|
| moi | nous |
| toi | vous |
| lui | eux |
| elle | elles |

**A Lisez et observez.**
1) Qui veut faire le ménage ? Moi !
2) Je veux bien nettoyer avec toi !
3) Nous, on se repose.
4) Ce sont eux* qui salissent, mais c'est lui qui nettoie !

* En français parlé : C'est eux.

**B Dans quelle phrase le pronom tonique... a) est isolé ? b) renforce un pronom personnel sujet ? c) se trouve après une préposition ? d) se trouve mis en valeur par la structure *c'est ... qui* ?**

**C Trouvez d'autres exemples semblables.**

**5 Écoutez et signalez une personne chaque fois que vous entendez un pronom tonique.**

*Exemple :*
***Moi** : la main sur la poitrine.*
***Elle** : on signale une fille.*
***Lui** : on signale un garçon, etc.*

**6 Oral en tandem.** Posez-vous des questions par groupes de deux.

*Exemples :*
- *Chez toi, c'est toi qui balaies ?*
- *Non, c'est mon frère.*
- *Chez toi, c'est toi qui fais la vaisselle ?*
- *Oui, c'est moi qui fais tout à la maison !*

**7 Imaginez les pensées de cette femme.**

Je dois...
C'est moi qui...
Il faut...

## Écoutez, observez, analysez

**LES VERBES DU 3e GROUPE**

**Certains verbes changent de radical au présent.**

**A Observez et prononcez les verbes suivants. Est-ce qu'il y a des changements de radical par rapport à l'infinitif ? Combien : un, deux ou aucun ? Lesquels ?**

| offrir | savoir | devoir |
|---|---|---|
| j'offre | je sais | je dois |
| tu offres | tu sais | tu dois |
| il / elle / on offre | il / elle / on sait | il / elle / on doit |
| nous offrons | nous savons | nous devons |
| vous offrez | vous savez | vous devez |
| ils / elles offrent | ils / elles savent | ils / elles doivent |

**B Écoutez et répétez les verbes suivants au présent. Indiquez pour chacun s'il y a des changements de radical par rapport à l'infinitif.**

**8 Petits gestes écolos à la maison.**

Il faut faire... Il ne faut pas faire...
Qu'est-ce que vous en pensez ? Pourquoi ?

**1)** Acheter des produits frais sous emballage.
**2)** Utiliser des serviettes en papier.
**3)** Rester 15 minutes sous la douche.
**4)** Éteindre la lumière quand on sort d'une pièce.
**5)** Recycler le papier.
**6)** Laisser le chauffage allumé toute la nuit.
**7)** Utiliser des produits de beauté bio.

- Indiquer où va / se trouve quelqu'un ou quelque chose
- Parler d'odeurs
- Utiliser de grands nombres

# X 174 113 95 041, un billet qui a du nez !

**1 Lisez cette BD.**

Salut ! X 174 113 95 041, c'est moi ! Je suis un billet de banque de 10 €. Ma vie est un continuel voyage. Je reste très peu de temps à la même place. C'est une vie passionnante. Suivez-moi et vous verrez…

Je me réveille dans le portefeuille d'une dame. Mmmm, ça sent bon le cuir ! J'y ai bien dormi mais j'ai envie d'aller faire un tour…
Son fils de 12 ans a besoin d'acheter un cahier. J'atterris dans sa poche… tout froissé !
Heureusement, cela ne dure pas. Me voilà dans la caisse d'une papeterie. J'y suis bien ! J'adore l'odeur du papier…
Je n'y reste que 10 minutes. Je passe dans le portefeuille d'un monsieur qui fume 3 paquets par jour. Au secours !
Ouf ! Il entre dans une boulangerie pour y acheter des croissants. La boulangère a des mains qui sentent bon !
Le voyage continue ! Une jeune fille qui s'achète un petit pain au chocolat me place dans un sac qui sent le parfum… Un peu trop, à mon goût !
La jeune fille s'arrête devant la vitrine d'un magasin de pulls. J'espère qu'elle va y entrer parce que je ne supporte plus Tanaïs, Tanaïs…
Elle y est entrée ! Elle n'a pas résisté à la tentation… elle s'achète un pull et me donne à la caissière. Quel repos pour mes narines !
Et voilà un petit aperçu de ma journée ! Qu'en dites-vous ? Vous suivez le rythme ?
Ah ! maintenant qu'on se connaît, vous pouvez m'appeler X 174 !


**2 Par quelles mains passe le billet ?** Où va-t-il ?
Quelles sont les sensations agréables qu'il éprouve ? Et les désagréables ?

**3 Où est-ce que X 174 entend ces conversations ?** D'après vous, de quoi ils parlent ?

**4** **Le voyage de X 174 continue.** Écoutez ces deux conversations. À quel endroit les a-t-il entendues ?

1
oissons - Sandwiches - Crêpes - Glaces
2
3
4

**5** **Imaginez les conversations que X 174 a pu entendre dans les deux autres endroits.**

**6** **Imaginez la suite du voyage de X 174.**

## Observez et analysez

**LE PRONOM COMPLÉMENT « Y »**

Je suis monté au premier étage.
J'y suis monté par l'escalier.

Il est resté chez lui.
Il y est resté toute la journée.

Elle est allée à l'hôpital ?
Non, elle n'y est pas allée.

**A** **Que remplace le pronom « y » ?**

**B** **De quel genre de complément s'agit-il ? À quelle question est-ce qu'il répond ?**

**C** **Relisez le texte de la BD et retrouvez tous les pronoms « y ». Que remplacent-ils ?**

## ÉcritOralÉcritOralÉcritOral

**VOYELLES ORALES / VOYELLES NASALES**

**A** **Lisez à haute voix ces deux opinions et repérez les voyelles nasales.**

BEURK, ÇA SENT MAUVAIS !
HUMMM ! ÇA SENT BON !

**B** **Lisez à haute voix le nom de ce bar alsacien et écrivez sa « traduction ».**

O 20 100 O

**C** **Prononcez et écrivez trois voyelles nasales et trois voyelles orales tirées des exemples ci-dessus.**

**7** **Écoutez et répondez en utilisant le pronom « y ».**

**8** **Voici d'autres numéros de série de billets de banque.** Écoutez-les et relisez-les à haute voix.

Z205224061141 V475899561926

G899766735550 R569832156449

Trouvez d'autres façons de lire ces séries.

2000000
DEUX MILLIONS
1000000000
UN MILLIARD
9999
NEUF MILLE NEUF CENT QUATRE-VINGT-DIX-NEUF
800
HUIT CENTS

# DOC LECTURE *24 heures dans la peau d'un prof*

## Évelyne, professeur d'espagnol au lycée « Jules Fil » de Carcassonne, raconte une de ses journées marathon.

**07:20** Je quitte la maison... J'habite dans un village, à 25 km de Carcassonne, donc je suis obligée de me rendre au lycée en voiture. C'est mon mari qui accompagne les enfants à l'école.

**07:50** Je vais directement dans ma classe qui se trouve au 4e étage (sans ascenseur, s'il vous plaît !). Mon cartable pèse une tonne (livres, classeurs, agenda, copies, photocopies...).

**08:00** J'entre en classe.
Quelques élèves attendent dans le couloir. C'est une classe de 2e LV2 option scientifique. On écoute un enregistrement. Les élèves critiquent la façon de parler des Espagnols, trop rapide à leur goût. À la fin de l'heure, nous sommes loin d'avoir fait ce qui était prévu. Mais inutile de les surcharger de travail à la maison, les élèves ont environ 8 h de cours par jour.

**09:00** Un autre groupe attend devant la porte. C'est une classe de terminale qui, pour le bac, aura une épreuve orale d'espagnol. Ce sont des élèves gentils, qui n'osent pas prendre la parole. Quand je les interroge, j'ai parfois l'impression d'organiser une séance de torture !

**09:55** La sonnerie retentit : 10 minutes de récré ! Nous nous retrouvons nombreux dans la salle des profs autour de la cafetière. C'est une vraie cour de récré : nous parlons tous en même temps entre rires, confidences, recettes de cuisine...

**10:05** C'est l'heure de la reprise. De nouveau, une classe de seconde. Je leur rends un devoir. Ils sont impatients de savoir s'ils ont de bonnes notes. Ce sont des élèves très agréables, qui ont quelques difficultés scolaires. D'un bout à l'autre de la classe, ils mènent une enquête pour savoir la note de leurs camarades. « Je t'ai battu », « Je t'ai battu », etc. Ce rituel dure quelques instants et 5 minutes après, ils ont tout oublié, même la copie !

**11:55** C'est la fin des cours de la matinée. Je regagne le coin des professeurs pour manger mon casse-croûte.

**13:00** Il faut que je sois très ponctuelle : j'ai cours avec une classe de seconde où il y a quelques élèves difficiles.

**15:00** J'ai une heure de libre. J'en profite pour faire des photocopies pour le cours suivant. Retour en classe et fin du cours à 16 h 50. Ouf ! la journée est terminée.

**17:10** Je n'allume pas la radio pour rentrer chez moi. Je me vide la tête en silence. Dans 20 minutes, la maison, le goûter des enfants, la correction des copies, la préparation des cours...

**Lisez plusieurs fois assez rapidement le récit de la journée d'Évelyne et répondez à ces questions.**

**1)** Y a-t-il des détails qui vous surprennent ? Lesquels ?
**2)** Comment Évelyne considère-t-elle ses élèves ? Relevez les expressions correspondantes.
**3)** À quels niveaux Évelyne donne-t-elle ses cours d'espagnol ? Combien de cours donne-t-elle ce jour-là ?
**4)** Déduisez le sens de « classe de terminale », « la sonnerie », « la reprise », « rendre un devoir », « je t'ai battu », « casse-croûte ».
**5)** En quoi la journée d'Évelyne est-elle « une journée marathon » ?

# Atelier d'écriture *Pour rédiger un décalogue*

Titre ▶ ***Le respect dû à la nature***

Introduction ▶ *On doit laisser la Terre aussi propre qu'on l'a trouvée en arrivant.*

Justification du sujet ▶ *Il faut penser à ceux qui vont venir derrière. Le monde va continuer. Après vous, c'est pas le déluge.*

Liste, claire et ordonnée ▶ ***Dire** bonjour au Soleil quand il se lève.*
***Ne pas cracher** par terre.*
***Saluer** les arbres qu'on croise.*
***Ne pas shooter** dans les champignons.*
***Ne pas cueillir** les fleurs avec leur racine, elles ne repousseraient plus.*
***Ne pas jeter** des bouteilles en plastique dans la campagne.*
***Ne pas verser** son huile de vidange dans la rivière, les poissons ne la digèrent pas.*
***Ne pas jeter** son mégot dans la forêt si on veut retrouver la forêt l'année prochaine.*
***Ne pas traverser** les bois à moto, ni avec sa musique à tue-tête, pensez aux oiseaux qui font la sieste.*
***Ne pas faire** pipi dans la mer, par respect pour les crevettes.*
***Applaudir** un ciel étoilé.*

*Attention ! **Toujours dire** bonsoir au Soleil quand il se couche et **ne jamais oublier de lui dire** « à demain ».*

*Jean-Louis FOURNIER – Je vais t'apprendre la politesse*
*Payot © 1988, Éditions Payot & Rivages*

**1 Ce texte comporte-t-il une information ? une définition ? une recette ? un règlement ?**

**2 De quoi parle-t-on ?**

**3 Vous trouvez ce texte sérieux, intéressant, pratique, poétique, amusant ?** Donnez des exemples.

**4 Quelle est la forme verbale utilisée dans la liste ?**
Elle sert à conseiller ?
à interdire ?
à expliquer ?
à fixer des règles ou des normes ?
à énumérer des actions ?

**5 Observez la place de la négation et comparez avec d'autres formes verbales.**

Cherchez d'autres décalogues sur Internet.

### À vos plumes !

**6 Inventez d'autres décalogues ou règlements sur ce même modèle (humoristique ou pas).**
*Par exemple : éduquer son chien ; être un(e) bon(ne) délégué(e) de classe, …*

**1)** Choisissez un thème et trouvez un titre.
**2)** Rédigez un petit paragraphe d'introduction.
**3)** Faites une énumération des actions à réaliser ou à éviter avec des infinitifs (affirmatifs et négatifs).

# PROJET La journée d'un objet

**Les objets… ils sont là, ils nous entourent, ils nous accompagnent dans nos gestes quotidiens. Mais, que cachent-ils sous leur apparence matérielle ? Quel est leur point de vue ? Et si on leur donnait la parole ?**

- **Par groupes de deux ou trois personnes, vous allez raconter la vie quotidienne d'un objet.**
- **Voici des idées pour la réalisation de votre projet.**

**Cet objet est…**
un billet,
une corbeille à papier,
une paire de chaussures,
un bus,
une chaise…

**Cet objet…**
Il a un nom, un prénom ?
Quelles sont ses qualités et ses défauts ?
Où est-ce qu'il habite ? Avec qui ?
D'habitude, que fait-il ? le matin, l'après-midi, le soir ?
Qui rencontre-t-il ? Dans quelles circonstances ?
Comment se sent-il ?
Qu'est-ce qu'il aime ? Qu'est-ce qu'il déteste ?
A-t-il des amis ? Est-il amoureux ?
Quelles sont les tâches qu'il préfère réaliser ?
Il a des petites anecdotes à raconter ?…

**La journée de cet objet peut être présentée sous forme de…**
récit
reportage
dessin
BD
sketch
interview…

# TEST DE COMPRÉHENSION ORALE !!!

## *C'est moi qui fais tout !*

Cahier d'exercices, page 28

# ÊTES-VOUS CAPABLE DE...?

## PARLER DES TÂCHES MÉNAGÈRES / METTRE EN RELIEF LA PERSONNE QUI RÉALISE UNE ACTION

oui non (Voir Livre, p. 18, 19)

**1** **Madame Duval et sa famille s'organisent à la perfection ! Imaginez et racontez qui fait quoi normalement à la maison, à partir des données suivantes. Utilisez la structure *c'est ... qui*.**

Mme Duval :
Divorcée
Cuisinière à l'école Jules-Ferry de Sète
Horaire de travail : de 8 h à 14 h 30
Trois enfants : Luc (4 ans), Denis (12 ans) et Marie (14 ans)
Un chien : « Spot »

Score / 10

## RACONTER UN ÉVÉNEMENT AU PASSÉ

oui non (Voir Livre, p. 16, 17)

**2** **Choisissez un des membres de votre famille et racontez ce qu'il ou elle a fait pendant la journée d'hier.**

Score / 8

## EXPLIQUER COMMENT FONCTIONNE LE PASSÉ COMPOSÉ

oui non (Voir Livre, p. 16, 17)

**3** **Denis doit faire des exercices de révision sur le passé composé. Il a tout oublié. Sa sœur lui explique de façon très simple comment fonctionne ce temps. Que dit-elle ?**

Score / 5

## EXPRIMER L'OBLIGATION

oui non (Voir Livre, p. 18, 19)

**4** **Un copain invite Denis à aller au cinéma à 5 h. Denis regarde son agenda et refuse. Que dit-il ?**

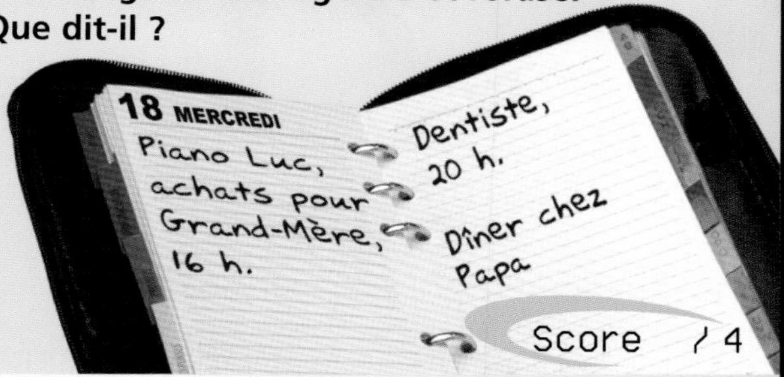
18 MERCREDI
Piano Luc,
achats pour Grand-Mère, 16 h.
Dentiste, 20 h.
Dîner chez Papa

Score / 4

## INDIQUER LE LIEU AVEC LE PRONOM « Y »

oui non (Voir Livre, p. 20, 21)

**5** **Luc et un copain jouent aux devinettes. Devinez l'endroit que remplace le pronom « y ».**

**1)** On y achète le pain.
**2)** J'y suis allé dimanche.
**3)** On y va quand on se lève.
**4)** On y va pour étudier.

Score / 4

## UTILISER LES PRONOMS TONIQUES

oui non (Voir Livre, p. 18, 19)

**6** **Observez les dessins de l'activité 1 et répondez à ces questions en utilisant les pronoms toniques.**

**1)** Luc est à côté de son frère ?
**2)** Mme Duval est fière de ses enfants ?
**3)** C'est Marie qui aide Luc à faire ses devoirs ?
**4)** Chez les Duval, on s'organise bien. Et chez vous ?

Score / 4

Score total / 35

# PARLER

## 1. PRENDRE PART À UNE CONVERSATION

*Durée : 3 minutes*

**En tandem.** Choisissez deux de ces personnes et imaginez une première rencontre. Ils se présentent (nom, prénom, âge, profession...) et ils parlent de leurs goûts.

1
2
3
4
5
6

## 2. S'EXPRIMER EN CONTINU

*Durée : 2 minutes*

**Individuellement.** Développez un des sujets suivants pour le présenter devant la classe.

| | | |
|---|---|---|
| 1) Vos matières préférées. | 4) Votre vie quotidienne pendant la semaine. | 7) Vos voisins. |
| 2) Vos goûts et préférences. | 5) Les tâches ménagères et vous. | 8) Une personne que vous admirez. |
| 3) Une personne que vous détestez. | 6) Ce que vous avez fait pendant le week-end. | 9) Des choses qui vous font rire / pleurer. |

# ÉCRIRE

*Durée : 30 minutes – 80 mots environ*

**Vous habitez en ville.** Cet été, tous vos copains sont partis en vacances et vous êtes le seul / la seule à être resté(e) avec votre famille. Écrivez une lettre à un(e) ami(e) où vous racontez une de vos passionnantes journées.

# LIRE

*Durée : 30 minutes*

## Sainte-Marie-de-Gosse en Fête

**VENDREDI 20 AOÛT**

**19 h 00** 1re étape de trottinettes
**20 h 00** Remise des Clés et Lâché de Ballons suivi d'un vin d'honneur avec tapas offert par le Comité au Patio
**20 h 00** Repas Adultes : 11,00 € Vin compris
Enfants : 6 €
Animé par la Banda AÏROSKI D'IRRISSARY
Menu : Melon / Jambon – Entrecôte / Frites / Salade – Fromage – Tarte aux pommes – Café / Digestif
**23 h 00** Bal avec DÉCIBEL

**SAMEDI 21 AOÛT**

**9 h 00** Ball-Trap Communal et intercommunal avec remise de prix
**15 h 00** Pour les plus petits, jeux avec le clown Zygo
**16 h 30** Course Landaise avec la Ganadéria Béarn Armagnac (terrain local des cantonniers)
**17 h 00** Concours de Pétanque en Triplette devant le restaurant « Au Bon Coin »
**17 h 30** Pelote Basque Chistera et Main Nue. Les Champions de France 1re série avec les Champions de France 2e série
**21 h 30** Concert, place Isidore, salle de la Batterie-Fanfare et des Gachos Kids
**23 h 00** Grand Feu d'Artifice tiré par la maison « Marmajou »
**0 h 00** Bal avec l'Orchestre Paréo

Le comité des fêtes ne répond pas des accidents.
L'abus d'alcool est dangereux pour la santé.
Ne rien jeter sur la voie publique.

**Lisez le programme et décidez quelles sont les activités que vous aimeriez faire.**

**Vrai ou faux ?** Lisez le programme et testez votre compréhension dans le Cahier d'exercices (page 30, exercices 1 et 2).

# ÉCOUTER

*Durée : 30 minutes*

**Écoutez la conversation : qui parle à qui ? pourquoi ? quel est le problème ?**
Testez votre compréhension dans le Cahier d'exercices (pages 30 et 31, exercices 3, 4, 5 et 6).

- Dans un récit au passé, planter le décor, décrire les actions et introduire un élément imprévu
- Décrire un personnage imaginaire

# En 2099...

C'était la nuit noire. Il n'y avait aucune étoile dans le ciel.
Il faisait très froid. Toutes les nuits, depuis la Grande Catastrophe, c'était la même chose, un ciel noir sans vie, une planète détruite...
Kiona est sortie de la grotte. Comme tous les soirs, elle est allée jusqu'à la plate-forme en haut de la colline. Comme tous les soirs, elle a regardé le ciel et elle s'est demandée « Mon Dieu, quelqu'un viendra-t-il nous chercher un jour ? Sommes-nous les seuls survivants ? »
Valérien est venu la rejoindre. Il lui a pris la main et ils sont restés, comme ça, immobiles et tristes dans le silence de la nuit.
Soudain, une boule de feu est apparue dans le ciel, de plus en plus grande.
Pris de panique, ils se sont cachés derrière un arbre.
L'énorme boule s'est posée sur la plate-forme.
Peu à peu, elle a changé de couleur.
C'était un vaisseau spatial magnifique.
Deux êtres majestueux sont sortis, entourés d'un halo bleuté.
Ils ont levé les bras. Ils ont souri.
Kiona et Valérien ont tout de suite compris.
Ils sont allés vers les extra-terrestres, confiants et pleins d'espoir.

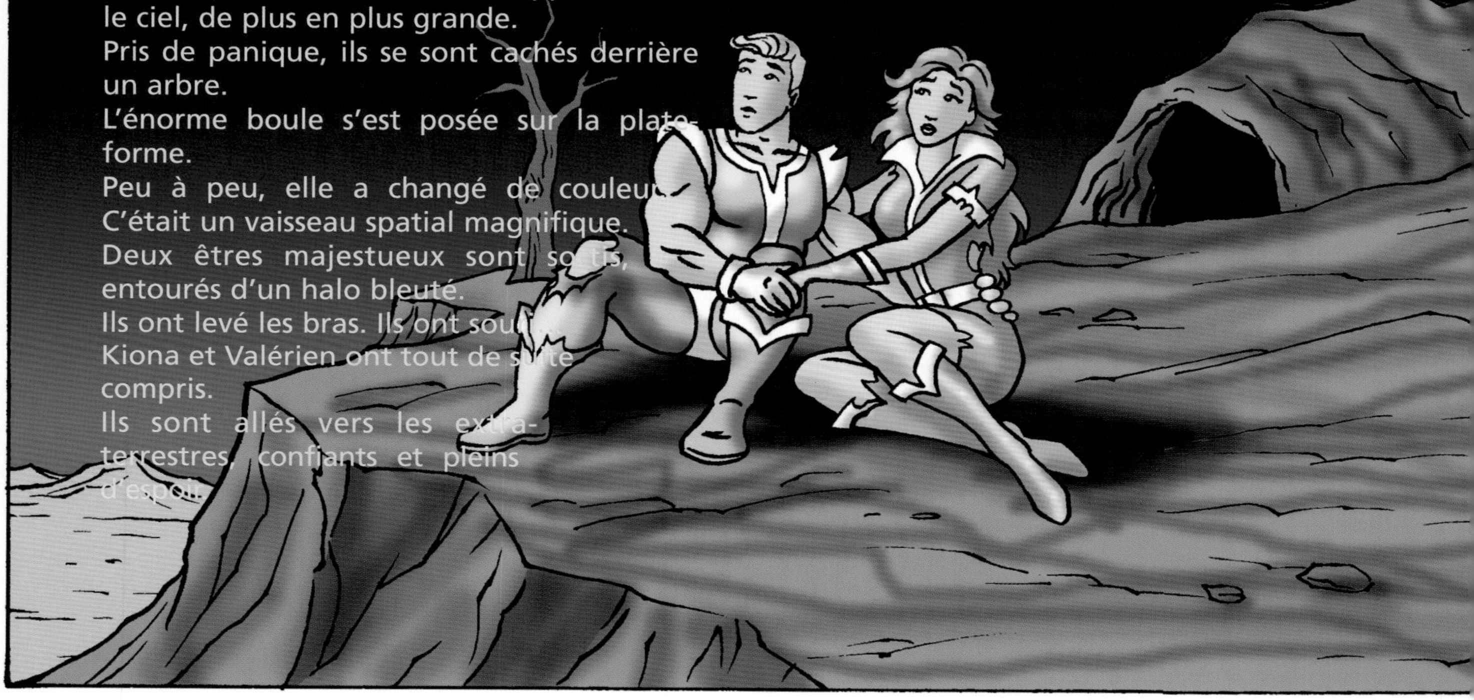

**1** Écoutez et lisez cette histoire.

**2** Répondez aux questions.

**1)** D'après vous, qui sont Kiona et Valérien ? Où sont-ils ?
**2)** Qu'a fait Kiona, ce soir-là ?
**3)** Tout à coup, que s'est-il passé ?
**4)** Qu'ont-ils fait, alors ?

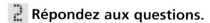

**3** Entraînez-vous à la lecture à haute voix.
Lisez le texte en imitant les intonations.

**POUR MIEUX LIRE À HAUTE VOIX**

Quand on lit à haute voix devant le groupe, il est important de :
– Transmettre le sens avant tout.
– Respecter le rythme et la ponctuation.
– Établir un contact visuel avec le public.
(Vous pouvez profiter des pauses.)

Quand Kiona et Valérien sont arrivés à Sazyria, leur nouvelle planète, ils ont regardé avec émotion le ciel plein d'étoiles et les deux lunes brillantes. Autour d'eux, il y avait un mélange d'ethnies incroyable, des êtres de toutes les galaxies avec des formes et des couleurs totalement différentes les unes des autres.
« Nous sommes chez nous... Ici, nous serons heureux... ».

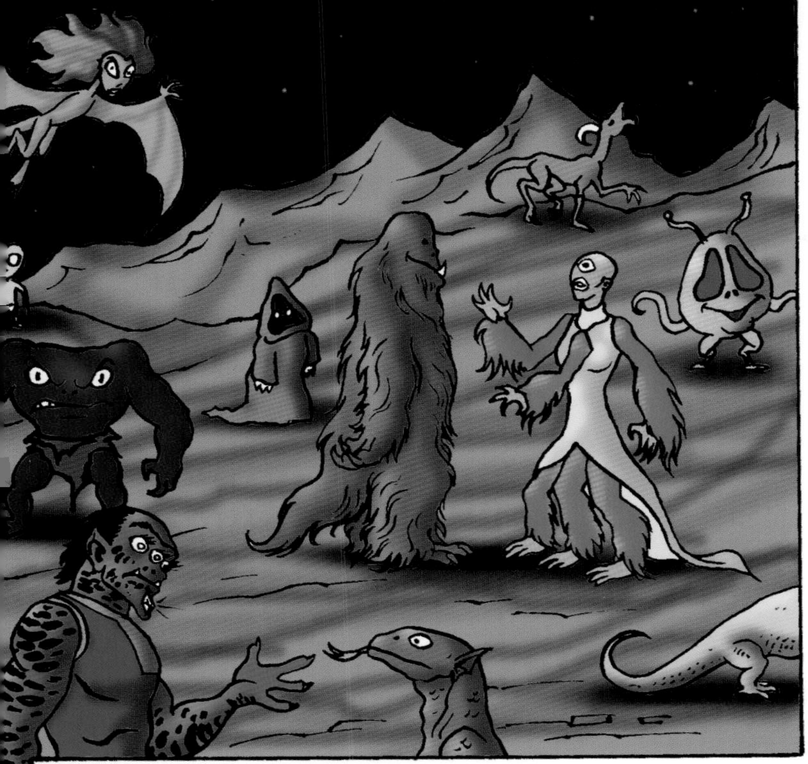

## Faire un récit au passé (révision)

**PLANTER LE DÉCOR (SITUER DANS L'ESPACE ET LE TEMPS)**
**C'était** la nuit noire.
**Il faisait** très froid.
**Il** n'**y avait** aucune étoile.

**DÉCRIRE LES ACTIONS**
Elle est sortie de la grotte.
Elle est allée jusqu'à la plate-forme.
Elle a regardé le ciel.

**INTRODUIRE UN ÉLÉMENT IMPRÉVU**
**Tout à coup / Soudain...** une boule de feu est apparue.

**4** **Un récit à l'envers.** Lisez le début de l'histoire et transformez-le en jouant sur les contraires. Lisez le résultat à haute voix devant le groupe.
*Exemple : C'était une nuit claire.*
*Il y avait plein d'étoiles dans le ciel...*

**5** **Kaofi et Terl sont deux habitants de Sazyria.** Lisez leur description et repérez-les dans le groupe.

> Kaofi est une Psychlope. Elle vient de la planète Psychlopia. Ses trois bras et ses trois jambes sont recouverts de longs poils rouges, signe d'une très grande beauté sur sa planète. Elle n'a pas de cheveux et son magnifique crâne chauve brille dans la nuit.
>
> Terl est un Konlang. Il vient de la planète Lang. Sa peau est recouverte d'écailles noires et brillantes. Il a trois yeux de couleur différente avec des cils extrêmement longs et un seul sourcil qui recouvre les trois yeux. Son menton est orné d'un diamant énorme.

**6** **Choisissez un personnage du groupe et décrivez-le.**

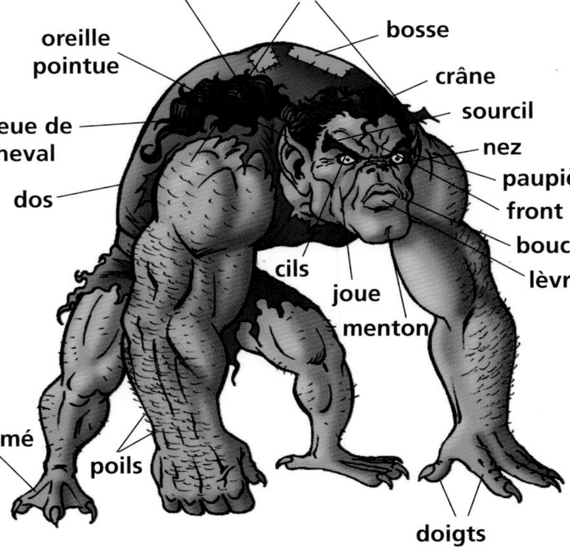
cheveux frisés
épaules
bosse
oreille pointue
crâne
sourcil
queue de cheval
nez
paupière
dos
front
bouche
lèvre
cils
joue
menton
pied palmé
poils
doigts

**7** **Imaginez un autre être galactique.**
Quel est son nom ? D'où vient-il ? Comment est-il ? Décrivez-le et dessinez-le.

- Raconter des souvenirs d'enfance
- Poser des questions sur des habitudes passées
- Distinguer au passé un fait ponctuel d'un fait habituel

# Souvenirs, souvenirs...

A
On passait des heures à jouer au prof ! Sinon, à l'école je me souviens qu'on jouait beaucoup au basket pendant les récrés.
B
Quand j'étais petite, j'adorais jouer au Meccano et au Lego. Ça me passionnait.
C
Nous nous amusions à plein de jeux avec mes cousines... Nous étions plusieurs du même âge. Nous jouions à cache-cache...
D
Quand je rentrais de l'école, mon PC m'attendait dans ma chambre.
CIEL
1
2
3
4
5
6
7
8
9
10
11
12

**1 Écoutez ces personnes qui se souviennent des jeux de leur enfance.** Observez les photos de ces quatre personnes et retrouvez dans quel ordre elles parlent.

**2 Observez de nouveau les photos et réécoutez ces souvenirs.** Associez les personnes aux jeux illustrés correspondants. Pouvez-vous retrouver le nom de chaque jeu ?

**3 Et vous ?** Quels étaient vos jeux préférés quand vous étiez enfant ?

Diversité

# Interview

**4** **Lisez cette interview que les élèves du Collège de l'Europe, en Suisse, ont faite à l'auteure et illustratrice Haydé Ardalan.**

**Quand vous étiez petite, quel métier rêviez-vous de faire ?**
Comme je voyageais beaucoup, je rêvais d'être hôtesse de l'air. J'avais aussi envie de devenir vétérinaire parce que j'aimais les animaux.

**Aviez-vous déjà envie d'écrire des histoires ?**
Quand j'étais petite, je ne savais pas que je pouvais écrire des histoires. Mais, je dessinais beaucoup et plus particulièrement des chats.

**Est-ce que vous aimiez aller à l'école ?**
Oui, j'aimais beaucoup l'école. Ma branche préférée, c'était l'histoire-géo. Je n'aimais pas tellement les mathématiques.

**Aviez-vous de bonnes notes ?**
Mes résultats étaient moyens. J'avais de très bonnes notes en dessin et en sport.

**Pouvez-vous nous raconter un événement qui a marqué votre vie d'écolière ?**
Le jour où j'ai reçu le premier prix de dessin pour un tableau.

***http://monthey.ecolevs.ch***

Haydé
Milton chez le vétérinaire

Moi, Milton
Haydé

**5** **À travers cette interview, qu'apprenez-vous sur Haydé Ardalan ? sur son enfance ? et sur son activité professionnelle ?**

## Écoutez, observez, analysez

**L'IMPARFAIT**

**A** **Écoutez la conjugaison des verbes *avoir* et *rougir* à l'imparfait. Quelles personnes se prononcent de la même manière ?**

**B** **Écoutez la 1re personne du pluriel des verbes suivants au présent et à l'imparfait. Quelle est la différence ?**

**C** **Comment se construit l'imparfait ? Énoncez la règle.**

| PRÉSENT | | IMPARFAIT |
|---|---|---|
| nous parlons | → | je parlais |
| nous rougissons | → | tu rougissais |
| nous faisons | → | elle / il / on faisait |
| nous venons | → | nous venions |
| nous allons | → | vous alliez |
| nous buvons | → | ils / elles buvaient |

**Seule exception !**
**L'imparfait du verbe *être*, c'est : j'étais.**

**6** **Relisez cette interview.**

1) Repérez les verbes employés pour parler de faits qui se répètent dans le passé. Observez qu'ils sont tous à l'imparfait. Faites la liste de ces verbes et cherchez leur forme à l'infinitif.
2) Quelle question se réfère à un fait ponctuel ? Quel est le temps employé dans ce cas-là ?

**7** **Oral en tandem.** Posez-vous des questions sur vos souvenirs d'enfance (école, coiffure, habitudes alimentaires…).

**8** **À vos plumes : souvenirs d'enfance.**
Préparez et faites l'interview d'une personne de votre entourage sur ce sujet.

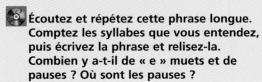

## ÉcritOralÉcritOralÉcritOral

**LE RYTHME DE LA PHRASE LONGUE, LES PAUSES, LES « E » MUETS**

**Écoutez et répétez cette phrase longue. Comptez les syllabes que vous entendez, puis écrivez la phrase et relisez-la. Combien y a-t-il de « e » muets et de pauses ? Où sont les pauses ?**

- Faire des prédictions
- Exprimer le futur de différentes façons

# Horoscope spécial collège

**1 Lisez cet horoscope.**

Diversité

### BÉLIER
**(21 mars-20 avril)**

Tu auras beaucoup d'énergie et tu parleras peut-être un peu trop fort. Le prof d'anglais admirera ta belle voix et te fera chanter une chanson des Beatles devant toute la classe.

### TAUREAU
**(21 avril-21 mai)**

Cette semaine, ton amoureux / se et toi, vous n'aurez pas 5 minutes de tranquillité. Les copains ne vous laisseront jamais seuls. Heureusement qu'en classe, vous êtes assis à côté et que vous pourrez vous tenir la main !

### GÉMEAUX
**(22 mai-21 juin)**

Le prof de français te fera passer au tableau et te dictera 5 phrases. Tu auras des palpitations mais tu réussiras à faire seulement 70 fautes. Quand ton prof te félicitera, toi, tu rougiras d'émotion.

### CANCER
**(22 juin-23 juillet)**

Tu ressentiras très fort les effets de la pleine lune : tu n'auras pas du tout envie de travailler et tu passeras ta journée à rêver. Il te faudra réagir car une tonne de devoirs t'attend sur ton bureau !

### LION
**(24 juillet-23 août)**

En cours de littérature, tu vas écrire une poésie qui gagnera le 1er prix. Ta cote de popularité montera en flèche. Tout le monde t'offrira des bonbons parce qu'ils savent que tu es très gourmand(e). Attention, tu vas avoir mal au ventre !

### VIERGE
**(24 août-23 septembre)**

Tu croiseras dans le couloir la personne à qui tu n'arrêtes pas de penser. Il ou elle te sourira et tu seras le / la plus heureux / se du monde. Tu vas avoir du mal à te concentrer. Le seul endroit où tu pourras réviser, ce sera la bibliothèque.

### BALANCE
**(24 septembre-23 octobre)**

Cette semaine, tu vas travailler plus que d'habitude et tes efforts vont être récompensés. Le directeur de ton collège te félicitera pour tes résultats extraordinaires. Toi, tu auras la même attitude modeste que d'habitude.

### SCORPION
**(24 octobre-22 novembre)**

Comme tu adores les discussions, cette semaine tu vas être servi(e) ! Au prochain cours de maths, tu démontreras à ton prof que c'est toi qui as raison pour le problème nº 9, p. 43. Les autres t'applaudiront.

### SAGITTAIRE
**(23 novembre-21 décembre)**

Toi qui détestes faire des concessions, cette semaine tu seras différent(e) ! Tu trouveras tous tes profs sympas, les repas à la cantine délicieux et tes parents géniaux. Qu'est-ce qui t'arrive ?

### CAPRICORNE
**(22 décembre-20 janvier)**

Gros nuages noirs dans ton ciel, cette semaine ! Tu glisseras sur une peau de banane, tu tomberas et tu te casseras un doigt de la main droite. À cause de ça, tu ne pourras pas passer ton examen de sciences. Quel dommage !

### VERSEAU
**(21 janvier-19 février)**

Cette semaine est magique pour toi : tu comprends les maths, tu parles français et anglais sans difficulté, tu bats le record du saut en hauteur, tes copains sont béats d'admiration devant toi...

### POISSONS
**(20 février-20 mars)**

Cette semaine, tu seras très triste parce que le prof de sciences sera absent. Trois heures sans lui, pourras-tu le supporter ? Heureusement que tu brilleras sur le terrain de sport où tu gagneras la course du 400 mètres !

**2 Qu'est-ce qui vous arrivera cette semaine ?** Dites une ou deux prédictions de votre horoscope. Vos camarades devinent de quel signe il s'agit.

**3 Relisez les horoscopes.** Quels sont les différents temps pour exprimer une idée au futur ? Trouvez des exemples.

**4 Quels sont les infinitifs des verbes conjugués au futur ?**
*Exemple : Tu auras → avoir*

Cette semaine, je comprendrai tout en maths, je parlerai français sans difficulté, je...
Tu es Verseau !

## Écoutez, observez, analysez

**LE FUTUR SIMPLE (RÉVISION)**

**A Écoutez et observez le verbe *sortir* au futur simple.**

| | |
|---|---|
| je sortirai | nous sortirons |
| tu sortiras | vous sortirez |
| il / elle sortira | ils / elles sortiront |

**a) À quel verbe vous font penser les terminaisons ?**
**b) À partir de quelle forme verbale se construit le futur ?**
**c) Quelles terminaisons se prononcent de façon identique ?**

**B Voici quelques verbes irréguliers.**

| | | |
|---|---|---|
| avoir ► j'aurai | aller ► j'irai | pouvoir ► je pourrai |
| être ► je serai | faire ► je ferai | venir ► je viendrai |

**C Pour exprimer l'idée du futur, on peut utiliser...**
- **Le futur simple :** Elle viendra.
- **Le futur proche :** Elle va venir.
- **Le présent accompagné d'une référence temporelle :** Elle vient demain.

**D Écoutez ces phrases et levez la main quand la phrase se réfère au futur.**

## Quand + futur + futur

**Quand** elle **aura** 20 ans, elle **sera** plus indépendante.

**Comparez avec votre langue.**

## Expressions de temps liées au futur

La semaine prochaine... Le mois prochain...
Plus tard... Tout à l'heure... Bientôt...
Dans trois minutes... Dans un instant...
Demain... Demain matin... Après-demain...
Et { À midi... Ce soir... Dimanche... En automne... / Au mois d'octobre... Le 10 janvier... En 2099... } + futur

**5 Écoutez et complétez les prédictions de la voyante avec une expression de temps.**

Vous ferez le tour du monde... dimanche prochain.
LE SOLEIL

**6 À vos plumes !** « Foufou magazine » vous demande de rédiger l'horoscope de votre signe préféré sous une de ces rubriques : « Horoscope spécial famille », « Horoscope week-end » ou « Horoscope spécial sports ». Choisissez une rubrique et écrivez un petit paragraphe.

# DOC LECTURE : LES JEUX

## QUIZ

**1 Où se déroulaient les J.O. ?**
a) À Athènes. ☐
b) À Sparte. ☐
c) À Olympie. ☐

**2 Ces jeux se célébraient surtout en l'honneur...**
a) de la déesse Athéna. ☐
b) de Zeus, le dieu suprême. ☐
c) des peuples grecs. ☐

**3 Les J.O. duraient...**
a) 4 ans. ☐
b) une semaine. ☐
c) un mois. ☐

**4 Les jeunes athlètes pour s'entraîner...**
a) vivaient en internat à partir de leur puberté. ☐
b) vivaient chez leurs parents. ☐
c) vivaient en internat s'ils habitaient loin. ☐

**5 Les athlètes...**
a) juraient qu'ils ne se dopaient pas. ☐
b) juraient qu'ils n'étaient jamais allés en prison. ☐
c) promettaient qu'ils allaient respecter le règlement. ☐

**6 Pendant les compétitions, les athlètes étaient...**
a) tout nus. ☐
b) habillés avec de grosses armures. ☐
c) recouverts d'une tunique. ☐

**7 Avant, les femmes...**
a) ne pouvaient pas participer aux J.O. ☐
b) pouvaient y participer mais pas pour tous les sports. ☐
c) pouvaient y participer en l'honneur de la déesse Héra. ☐

**8 Dans l'antiquité, comme épreuves, il y avait...**
a) la course, la lutte et le saut en hauteur. ☐
b) la course de chars, le pancrace et le pugilat. ☐
c) le water-polo, l'escrime et le judo. ☐

**9 La récompense pour les gagnants était...**
a) une médaille et de l'argent. ☐
b) une médaille seulement. ☐
c) une couronne d'olivier seulement. ☐

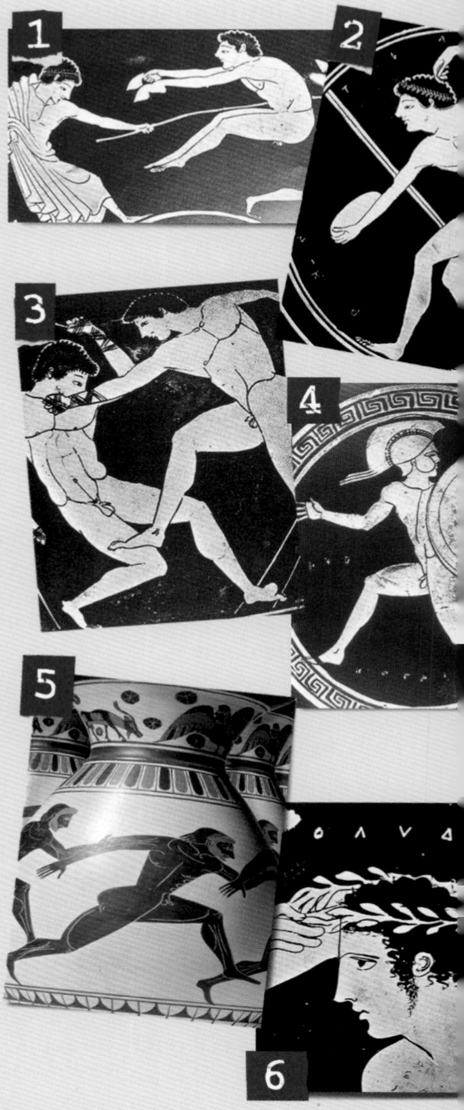
1
2
3
4
5
6

**1** **Que savez-vous sur les Jeux olympiques dans l'antiquité ? Répondez au quiz.**

**2** **Lisez les textes puis comparez avec vos réponses.**

**3** **Observez les illustrations et dites à quelles rubriques de la section « Les épreuves » elles correspondent.**

**4** Oral en tandem. **Comparez les J.O. avant et maintenant.**
*Exemple : Maintenant, les J.O.* ***se déroulent à / dans...*** *Avant, ils* ***se déroulaient à / dans...***

## Les premiers Jeux olympiques

**Ils se déroulent à partir de 776 avant Jésus-Christ dans le sanctuaire religieux d'Olympie en honneur de Zeus, la divinité la plus vénérée. Pendant les Jeux, les peuples grecs respectaient une trêve sacrée qui garantissait la paix.**

## Les athlètes

**Les jeunes athlètes commençaient à s'entraîner vers l'âge de 7 ans. Leur entraînement était très strict : à partir de 12 ans, ils vivaient en internat et dormaient par terre.**
**Au moment de la compétition, les athlètes devaient faire le serment qu'ils étaient grecs et qu'ils n'étaient ni esclaves, ni repris de justice. Ils participaient tout nus et les femmes ne pouvaient ni concourir ni assister à ces jeux sous peine de mort !**

# OLYMPIQUES DANS L'ANTIQUITÉ

7

8

9

## Les épreuves

### La course de chars

Cette épreuve était très dangereuse. Les chars appartenaient aux riches mais c'étaient des esclaves qui y participaient !

### La course

Elle se déroulait sur la longueur du stade, c'est-à-dire 192,27 m. Un coureur qui ratait le départ pouvait recevoir des coups de bâtons !

### La course en armes (400 m)

Il fallait courir avec un casque et un bouclier. Ce qui était, bien sûr, un peu fatigant !

### La lutte

Les athlètes devaient faire tomber 3 fois leur adversaire. Ils recouvraient leur corps d'huile pour être plus difficiles à attraper.

### Le pugilat

Les athlètes combattaient à coups de poing uniquement. Leurs mains et leurs poignets étaient protégés par des mitaines de cuir et de fer.

### Le pancrace

Dans ce combat, tout était permis mais l'arbitre frappait les lutteurs qui mettaient les doigts dans les yeux de leurs adversaires.

### Le lancer de disque

Le disque était en bronze et pesait 5 kg. Aujourd'hui, il ne pèse que 2 kg.

### Le saut en longueur

Les athlètes sautaient avec une haltère dans chaque main pour garder l'équilibre et sauter plus loin.

### Les récompenses et les sanctions

Les champions recevaient une couronne d'olivier sauvage, ce qui représentait un grand honneur. Quand ils rentraient dans leur cité, ils étaient reçus comme des héros. Par contre, les athlètes qui trichaient devaient payer une statue pour le stade.

# Atelier d'écriture

## Raconter un souvenir

### Le fait le plus cocasse de mon enfance

Quand j'étais petit, j'adorais jouer aux billes. Je jouais avec une fougue et une maestria exemplaires. J'étais imbattable. Personne ne voulait plus jouer avec moi, alors je n'avais plus d'adversaire. Comme je ne savais pas quoi faire, je dessinais.

Un jour, une espèce de brute musclée jusqu'aux sourcils m'a donné un énorme coup sur la tête avec son cartable. J'ai répliqué par... une caricature. Ensuite, j'ai diffusé le dessin dans la cour de l'école. Hilarité générale !

À partir de ce jour-là, j'ai décidé que je serais dessinateur.

Daniel Lecrayon, dessinateur de BD

**FAIRE UN RÉCIT AU PASSÉ**

- **Circonstances qui se répètent**
  Temps utilisé : l'imparfait.
- **Faits ponctuels**
  Temps utilisé : le passé composé.
- **Conséquences**
  Temps utilisé : le passé composé.

1 **Cherchez, dans le texte, des exemples qui illustrent le tableau ci-dessus.**

***À vos plumes !***

2 **Racontez le fait le plus cocasse de votre enfance.** N'oubliez pas d'utiliser les expressions signalées ! Signez votre récit avec un pseudonyme. Écrivez vos récits sur l'ordinateur du collège. Ensuite, amusez-vous à deviner qui se cache sous les pseudonymes.

# PROJET Métamorphoses

**Tout change, tout se transforme. Les choses ne sont plus ce qu'elles étaient et qui sait ce qu'elles deviendront !**

- En groupe, choisissez un sujet qui vous intéresse.
  Quelles transformations ont eu lieu à travers les années ou à travers les siècles ? Qu'est-ce qui va se passer plus tard ?
- Racontez cette évolution en respectant le schéma suivant :
  1. **AVANT...** 2. **MAINTENANT...** 3. **PLUS TARD...**

**Voici quelques idées :**

L'écriture
Un moyen de transport
Un sport
L'école
Les repas en famille
Le téléphone

POUR MIEUX TRAVAILLER EN GROUPE
Voir Cahier personnel, page 13.

- Cherchez la documentation nécessaire pour enrichir votre récit (Internet, encyclopédies, dictionnaires...).
- Présentez votre projet accompagné de photos, de dessins, de vignettes.
- Exposez vos résultats.

# TEST DE COMPRÉHENSION ORALE !!!

## Flashs actualité !

Cahier d'exercices, page 42

# ÊTES-VOUS CAPABLE DE... ?

### DÉCRIRE QUELQU'UN PHYSIQUEMENT

oui non (Voir Livre, p. 28, 29)

**1** **Voici le portrait-robot des trois suspects du terrible assassinat de la rue Lamorgue. Décrivez-les.**

Score / 6

### RACONTER DES HABITUDES PASSÉES

oui non (Voir Livre, p. 30, 31)

**2** **Quand vous étiez tout(e) petit(e), vous habitiez au même endroit qu'aujourd'hui ? Qu'est-ce que vous aimiez faire ? Qu'est-ce que vous ne supportiez pas ? Quel(le) était votre meilleur(e) ami(e) ? Que faisiez-vous ensemble ?**

Score / 4

### RACONTER UNE PETITE ANECDOTE DE VOTRE ENFANCE SUR QUELQUE CHOSE QUI VOUS A FAIT UN GRAND PLAISIR

oui non (Voir Livre, p. 30, 31)

**3** **Dans quelles circonstances cela s'est-il produit ? Quand ? Où ? Comment ? Qu'est-ce qui s'est passé ?**

Score / 5

### FAIRE DES PRÉDICTIONS

oui non (Voir Livre, p. 32, 33)

**4** **Luna s'est perdue, elle ne retrouve plus son maître. Qu'est-ce qui va lui arriver ? Racontez...**

Score / 5

### FAIRE DES PHRASES AVEC *QUAND* + FUTUR

oui non (Voir Livre, p. 32, 33)

**5** **Complétez ces phrases qui se réfèrent à Luna.**

**1)** Quand son maître se rendra compte de la disparition de Luna, il ***.

**2)** Quand le temps *** et qu'elle ne *** pas arriver son maître, elle sera inquiète.

**3)** Quand ***, elle s'endormira sous un banc.

Score / 4

### LIRE À HAUTE VOIX DE FAÇON DISTINCTE ET EXPRESSIVE UN TEXTE CONNU

oui non (Voir Livre, p. 28)

**6** **Lisez un petit texte que vous aimez bien pour vos camarades.**

Score / 4

### CONJUGUER LES VERBES IRRÉGULIERS AU FUTUR

oui non (Voir Livre, p. 32, 33)

**7** **Récitez au futur deux verbes irréguliers de votre choix.**

Score / 6

### CONJUGUER UN VERBE À L'IMPARFAIT

oui non (Voir Livre, p. 30, 31)

**8** **Récitez un verbe de votre choix à l'imparfait et expliquez comment se forme ce temps.**

Score / 6

Score total / 40

# Quelles sont vos habitudes musicales ?

**1 Observez les photos.** Avec qui vous vous identifiez le plus ? Pourquoi ?

**Pour vous aider**

**EXPRIMER LA FRÉQUENCE**

Chaque jour / semaine / mois
Deux fois par jour / semaine
Tous les mois / jours / samedis
(Très) souvent
Tout le temps
(Presque) jamais
D'habitude
Normalement
Quelquefois
Toujours

**2 Quelle place la musique tient-elle dans votre vie ?** Répondez à ce questionnaire.

1 Vous écoutez de la musique le matin ? le soir ?

2 La musique vous aide à vous concentrer ? à vous détendre ?

3 Vous jouez d'un instrument ? Lequel ? Quand ?

4 Vous chantez dans une chorale ? sous la douche ?

5 Vous écoutez de la musique à la radio, sur CD, sur cassette, sur Internet ?

6 Est-ce que vous écoutez la musique à plein volume, à volume réduit ?

7 Vous écoutez de la musique classique ?

8 Vous allez à la discothèque ? Vous dansez ?

9 Vous allez à des concerts ?

10 Vous suivez les émissions musicales à la télé ou à la radio ?

11 Vous achetez des magazines de musique ?

12 Vous mettez votre baladeur pendant vos trajets à pied, en bus, en métro ?

13 Avec quelle fréquence achetez-vous des CD ?

14 Vous vous réveillez en musique ?

15 Vous vous endormez en écoutant de la musique ?

**3 Mettez en commun vos résultats.** Citez deux ou trois réponses qui coïncident avec celles de votre camarade.

*Exemple : Guy et moi, nous allons souvent à la discothèque mais nous n'écoutons jamais de musique classique.*

# Jeunes espoirs de la chanson

Claire et sa chorale « les Carpe diem »

Lucas sur la promenade des Anglais à Nice, sa ville natale

Bernard, en pleine répétition, dans son garage

## Observez et analysez

**LA FORME NÉGATIVE ET SA SYNTAXE**

- Elles sont **déjà** parties ?
- Non, elles ne sont pas encore parties.
- Tu vas **souvent** danser ?
- Non, je ne suis jamais allé en boîte.

**A** **Où se place la négation quand le verbe est au passé composé ?**

**B** **Observez maintenant ces négations. Que se passe-t-il ?**

- **Tout** va bien ?
- Non, rien ne marche.
- **Tout le monde** le connaît ?
- Non, personne ne le connaît.

**4** **Écoutez ces situations et prenez des notes : qui parle ? à qui ? où ? pourquoi ? quelles informations avez-vous retenues ?**

**5** **Réécoutez cette situation et reconstituez les répliques de Bernard.**

**6** **Choisissez une de ces situations et jouez la scène.**

DÉJÀ EN PYJAMA ? TU NE VAS PAS À LA FÊTE ?
MAIS SI... TU VOIS BIEN, JE SUIS PRÊTE !!!

**7** **Quand est-ce qu'on répond « si » ? Reformulez la question pour répondre « oui » au lieu de « si ».**

**8** **Lisez et répondez.**

**1)** Vous connaissez quelqu'un qui joue de la batterie ?
**2)** Vous avez fait du solfège à l'école ?
**3)** Vous dansez parfois le rock ?
**4)** Vous avez déjà dansé le flamenco ?
**5)** Vous comprenez les paroles d'un rap en anglais ?
**6)** Quand vous entendez chanter en arabe, vous comprenez quelque chose ?
**7)** Êtes-vous déjà allé(e) à une fête-pyjama ?
**8)** Hsdhsahhl ? Hiuayiuhbg ! Vous avez compris ?

**9** **Faites des hypothèses sur la vie de votre camarade.** Utilisez *rien, jamais* et *personne.*

*Exemple :*
- *Tu n'as jamais escaladé le mont Blanc.*
- *C'est vrai !*

- Définir et décrire quelqu'un ou quelque chose de façon détaillée
- Faire deviner l'identité d'un personnage

# Chansons génération

**1 Écoutez cette émission à la radio.**

Voici l'heure de notre émission « Chansons génération », une émission **où** on entend des chansons mythiques, des chansons **qui** ont marqué une époque ! Nous commençons par notre concours « Trouvez la chanson », un concours **où** tout le monde peut gagner !
Voici les indices :
• C'est une chanson **qui** a eu beaucoup de succès en 1970.
• C'est une chanson **que** tout le monde connaît et **qui** a été traduite en 17 langues.
• C'est une chanson **qui** a beaucoup de versions : la version rock a été chantée par Elvis Presley, la version punk, par les Sex Pistols, la version flamenco par les Gypsy Kings et la version raï par Khaled !
• C'est une chanson **que** les jeunes Français chantent encore, que le monde entier connaît sous le titre de « My way », et **qui** est devenue un méga tube international.

**2 Écoutez et répondez.**

**1)** Comment s'appelle cette émission ?
**2)** En quoi consiste ce type d'émission ?
**3)** Comment s'appelle le concours ?
**4)** Quel indice donne la solution ?
**5)** Dites tout ce que vous savez sur la chanson choisie.

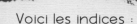

## Observez et analysez

**LES PRONOMS RELATIFS *QUI, QUE, OÙ***

**A** **Observez les mots signalés dans le texte. Quels mots remplacent-ils ?**

**B** **Quel pronom relatif est sujet ? Lequel est complément d'objet ? Lequel est complément de lieu ?**

**C** **À quoi servent les pronoms relatifs ?**

**3 Quelle est cette chanson ?** Lisez ce texte en remplaçant les étoiles par les pronoms relatifs correspondants.

Voici de nouveau « Trouvez la chanson », le concours ★ il faut deviner le titre de chansons ★ ont marqué une époque. On écoute tout de suite les indices ★ vous permettront de trouver le titre de cette chanson : C'est une chanson ★ tout le monde connaît en France et ★ a eu un succès fulgurant en 1963. C'est une chanson ★ est devenue l'emblème d'une génération et ★ les adolescents du monde entier ont chantée. C'est une chanson ★ parle des garçons et des filles de votre âge, et ★ j'adore. C'est une chanson ★ l'interprète marche seule, dans la rue, l'âme en peine.

**ÉcritOralÉcritOralÉcritOral**

**LES GROUPES DE SOUFFLE**

**A Réécoutez l'introduction de l'émission « Chansons génération ». Repérez les groupes de mots prononcés sans interruption et qui ont un sens (groupes de souffle).**

**B Lisez le texte à haute voix en reproduisant clairement ces groupes de souffle.**

**4 Écoutez et vérifiez.**

**5 Observez les photos de ces interprètes de chansons francophones.** Écoutez les indices. De qui parle-t-on ?

Carla BruNi
1
2
MaNu ChaO
3
4
MC Solaar
Céline DioN

**a)** C'est une personne qui chante en français et en anglais. Il fait très froid dans le pays où elle est née.
**b)** C'est une personne qui est d'origine espagnole, qui est engagée et très proche du peuple.
**c)** C'est quelqu'un qui a travaillé dans le monde de la mode et qui interprète ses propres chansons en s'accompagnant de la guitare.
**d)** C'est quelqu'un qui est né à Dakar et qui a été professeur de français. Il a fait découvrir le rap en France.

**Diversité**

De qui s'agit-il ? Cherchez sur Internet des renseignements sur vos idoles. Faites deviner à vos camarades de qui il s'agit.

- Raconter le parcours d'un groupe musical
- Comparer des chansons ou des groupes musicaux

# Le meilleur de Zebda

Toulouse, 1985. Quartiers nord de la ville.
Ça vous intéresse de faire un film vidéo avec moi ?
OK !

Magyd Cherfi, animateur de quartier, fait appel à des copains rockers (Joël, Pascal et Vincent) pour faire un film vidéo.

Trois ans plus tard...
Ça bouge dans la cité !
ZEBDA

Magyd et ses 3 copains forment le groupe musical Zebda avec 2 autres copains, Mustapha et Hakim. Le rock, le rap, le raï, le reggae influencent leur musique.

1997... « Motivés ». Le concert pour tous.
SOUTENONS LES SANS-PAPIERS
ZEBDA
Qui dit mieux ?! La place de concert à 9 F 90 !!! Venez tous voir le meilleur de ZEBDAAAA !

Ils soutiennent les immigrés clandestins pour les aider à mieux vivre. Ils popularisent la musique et lancent la place de concert à 9 F 90 (1 € 50).

New York, août 98... L'Olympia à Paris, novembre 1998... Victoires de la Musique, 2000....
... tombé la...
... tombé la chemiiise...

« Tomber la chemise » obtient le prix de la meilleure chanson de l'année aux Victoires de la Musique. Zebda est nommé le meilleur groupe de l'année.

2001... Élections municipales...
Mouvement citoyen, animé par le groupe Zebda à Toulouse : 4 sièges au Conseil Municipal...
MAIRIE

Le groupe présente une liste de candidats **MOTIVÉ-E-S**, indépendante des listes des partis.

11 octobre 2003, Ramonville, dans la banlieue de Toulouse...
On s'en va mais... ça va continuer à bouger... ouais

Zebda annonce, dans un concert inoubliable à Ramonville, sa décision de suspendre ses activités. Ils disent au revoir mais ils ont ouvert une voie... à suivre...

## 1 Lisez cette BD.

**1)** De qui s'agit-il ? Vous les connaissez ?
**2)** Comment a commencé leur aventure ?
**3)** Quelle est la chanson qui a obtenu le prix de la Meilleure chanson de l'année ?
**4)** Quel autre événement a aussi été important pour eux, en 2000 ?
**5)** Que font-ils du point de vue social ?

## Observez et analysez

**COMPARATIFS ET SUPERLATIFS IRRÉGULIERS *(MEILLEUR ET MIEUX)***

Pour moi, Zebda chante mieux que d'autres groupes.

Je trouve que Zebda, c'est le groupe qui chante le mieux.

Leur deuxième CD est meilleur que le premier.

Pour moi, le meilleur, c'est le dernier !

**A** **Quel est le comparatif de l'adverbe *bien* ? Et le superlatif ?**

**B** **Quel est le comparatif de l'adjectif *bon* ? Et le superlatif ?**

**C** **Comparez avec votre langue.**

# Une chanson de Zebda

En 1999, Zebda publie un album intitulé *Essence ordinaire* qui connaît un immense succès, en particulier grâce à la chanson *Tomber la chemise*. Cette chanson joyeuse et optimiste, incite à danser, à s'amuser, à « tomber la chemise », comme on dit dans le sud de la France. Voici un extrait de la chanson.

## Tomber la chemise

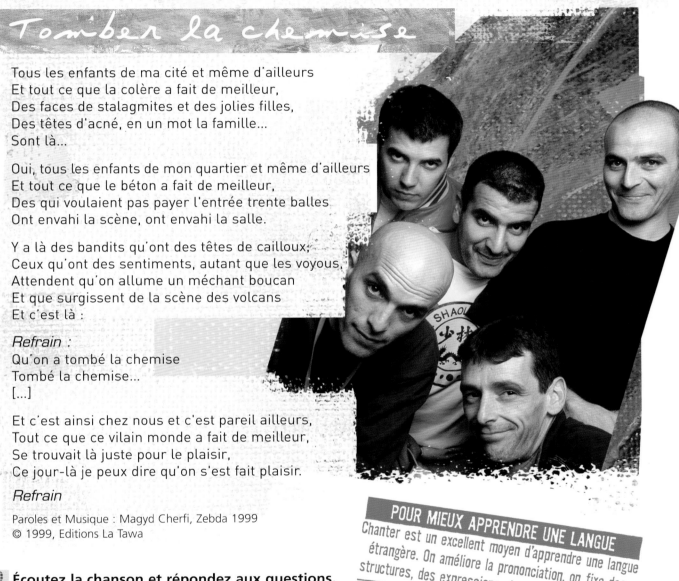

Tous les enfants de ma cité et même d'ailleurs
Et tout ce que la colère a fait de meilleur,
Des faces de stalagmites et des jolies filles,
Des têtes d'acné, en un mot la famille...
Sont là...

Oui, tous les enfants de mon quartier et même d'ailleurs
Et tout ce que le béton a fait de meilleur,
Des qui voulaient pas payer l'entrée trente balles
Ont envahi la scène, ont envahi la salle.

Y a là des bandits qu'ont des têtes de cailloux,
Ceux qu'ont des sentiments, autant que les voyous,
Attendent qu'on allume un méchant boucan
Et que surgissent de la scène des volcans
Et c'est là :

*Refrain :*
Qu'on a tombé la chemise
Tombé la chemise...
[...]

Et c'est ainsi chez nous et c'est pareil ailleurs,
Tout ce que ce vilain monde a fait de meilleur,
Se trouvait là juste pour le plaisir,
Ce jour-là je peux dire qu'on s'est fait plaisir.

*Refrain*

Paroles et Musique : Magyd Cherfi, Zebda 1999

SHAOL

**POUR MIEUX APPRENDRE UNE LANGUE**
Chanter est un excellent moyen d'apprendre une langue étrangère. On améliore la prononciation, on fixe des structures, des expressions, des mots. À vos micros !

**2 Écoutez la chanson et répondez aux questions.**

**1)** Quelles sensations vous produit cette chanson ?
**2)** La chanson fait référence à quelles personnes ?
Quelles sont les comparaisons utilisées pour les décrire ? Où se trouvent-elles ?
**3)** Retrouvez dans la chanson les équivalents de ces expressions : « trente francs », « autre part », « un énorme bruit », « les mauvais garçons », « le ciment armé », « des visages pleins de boutons » et « la Terre ».
**4)** Quelles expressions évoquent une ambiance de fête ?

**3 Comparez Zebda avec d'autres chanteurs ou groupes que vous connaissez : composition, naissance, style musical, type de revendication sociale, ...**

# Doc Lecture :
## Les origines des principaux genres musicaux

### COUNTRY

La country a été popularisée à la fin des années 1960 par des artistes comme Bob Dylan ou Gram Parsons, qui l'ont régénérée au contact du rock. Aujourd'hui, toute une partie de l'Amérique underground perpétue ce genre.

### ROCK

Le rock'n roll, cette musique de danse violente et sensuelle issue du blues, du rythm'n blues et de la country choqua l'Amérique puritaine des années 1950. Dans les années 1960 et 1970, les guitares électriques véhiculent l'esprit de révolte des jeunes face à la société sclérosée de leurs aînés.

### POP

La pop, abréviation de « musique populaire », est un dérivé du rock, moins agressif et plus mélodique, aux arrangements souvent très riches et subtils. L'Angleterre s'en est fait une spécialité quasi industrielle. Au point que la « pop anglaise » est devenue un genre à part entière.

### REGGAE

C'est le rythm'n blues tel qu'on le jouait à la Jamaïque, associé aux musiques des Caraïbes (calypso, mento) qui donna naissance au ska, dans les années 1960, puis au reggae. C'est la « voix de la rue » des quartiers pauvres de Kingston, une voix contestataire et empreinte de philosophie rasta.

### rap

C'est avant tout un style vocal inventé par les disc-jokeys disco et développé dans les ghettos noirs américains. Les rappeurs parlent en rythme et en rimes, plus qu'ils ne chantent, sur une musique qui mélange abondamment le funk et la soul.

### FUNK/SOUL

La soul -musique dérivée du gospel, le chant religieux noir- et le funk -cette dance music construite autour d'une basse extrêmement syncopée- furent dans les années 1960 et 1970 les genres musicaux de prédilection des Noirs américains.

### électro

Sous ce terme générique, on affilie toutes les musiques électroniques issues de la vague techno : trip hop, deep-house, downtempo, électronique... C'est aussi une manière de constater que l'électro ne s'écoute plus seulement en boîte de nuit, mais aussi à la maison.

### jazz

Cette musique est le berceau de toutes les musiques populaires de notre siècle. Elle est née de la rencontre entre la tradition musicale africaine, amenée par les esclaves du continent américain, et la musique européenne.

ZOOM, 2005 *Le monde d'aujourd'hui expliqué aux jeunes* © Hachette Jeunesse

**1 Écoutez et lisez ce document.**
Citez un genre musical…
**1)** qui a son origine dans le chant religieux noir.
**2)** qui est né dans les années 60.
**3)** qui s'est développé dans un ghetto.

**2 Écoutez et identifiez ces genres musicaux.**

**3 Relevez les mots clés de chaque style musical.**
Relisez-les en utilisant la musique comme fond sonore.

**4 Actuellement, quels artistes représentent ces styles musicaux ?**

**5 À votre avis, quels autres styles de musique manquent dans cette page ?** Pouvez-vous les décrire ?

# Atelier d'écriture

Diversité

## Écrire une lettre

Salut !
J'habite à Nathin depuis longtemps et j'attends avec impatience le jour où des groupes de metal ou de punk comme Klinb 281 ou Mus 14 viendront exprimer leur style de punk californien sur une scène d'ici !!! Je ne pense pas être le seul à aimer ce style et je propose qu'on y pense sérieusement. Pour une ville comme Nathin, ce serait le top, croyez-moi !! Parce que... ce qu'on voit actuellement sur scène, ici, moi personnellement, je trouve ça nul.
Pas vous ? ☺ Mathieu ☺

Tignes, le 2 février

Salut Adrien !
Ça c'est Tignes où nous passons nos vacances. C'est pas mal mais ça manque un peu d'animation... Enfin, on fait du ski et ça c'est l'enfer ! Je reviens lundi. Pourquoi on ne va pas ensemble au concert de Zebda ? Dépêche-toi de te décider, il n'y a presque plus de places ! À lundi !
Gros bisous.
Ton amie qui ne t'oublie pas,
Sophie.

RIGAL Adrien
5, rue du Four
30000 Nîmes

Le 9 septembre — **date**

**saluer** ▸ Coucou,

**s'identifier** ▸ C'est ta nièce, pas la sage, non, non, moi c'est le pot de colle (et fière de l'être !).

**objectif** ▸ Je t'écris pour te parler d'une idée géniale... Voilà : ma chère maman (comme d'habitude !) ne veut pas me laisser aller toute seule au concert de Tryo, le vendredi 15 et moi, je meurs d'envie d'y aller, c'est mon groupe préféré !!!

**proposition** ▸ Comme je sais que jeudi et vendredi tu es à Lyon pour ton travail, j'ai pensé qu'avant de retourner t'enfermer à Bellay,

**justification de la lettre** ▸ tu ne pourrais pas résister à la tentation de voir ce merveilleux groupe et que tu aimerais y aller avec moi ! Reconnais que c'est une idée géniale !
Ne me dis pas que c'est pas pour les vieux parce que ce genre de concerts c'est pour tout le monde (et d'abord tu n'es

**souhaits** ▸ pas vieille... hein !). Alors... Ça te dit ? Réponds-moi vite !

**salutations à d'autres personnes** ▸ Tu feras de gros bisous à Frédéric et à Claudia de ma part.

**formule pour prendre congé** ▸ Je t'embrasse très, très, fort et j'attends ta réponse avec IMPATIENCE !

**signature** ▸ Charlotte

**1** **Lisez ces trois textes : de quel type de documents s'agit-il ? qui écrit ? à qui ? pour quoi ?**

**2** **Quelles parties signalées dans la lettre de Charlotte pouvez-vous retrouver dans les deux autres textes ?**

***À vos plumes !***

**3** **Écrivez un mail, une lettre ou une carte postale à une personne de votre choix.**

# PROJET La chanson qu'on aime

**Formez des groupes et présentez en classe une chanson française que vous aimez.**

Pour cela, il faudra :
**a)** Expliquer pourquoi elle vous plaît.
**b)** La faire aimer autant que vous l'aimez.

POUR MIEUX PRÉPARER UN EXPOSÉ
Voir Cahier personnel, page 14

**Voici quelques idées pour captiver votre public :**

- Vous pouvez confectionner une affiche, un dossier avec des photos, une belle biographie de son ou ses interprète(s)...
- Vous pouvez aussi faire un montage, enregistrer une cassette, proposer un accompagnement musical, faire des photocopies fantaisistes des paroles de la chanson…

**Affichez vos résultats !**
**Évaluez-vous !**
Les groupes ont bien fonctionné ? Tout le monde a collaboré ?
Qu'est-ce qu'on pourrait améliorer ?
Qu'est-ce que vous avez découvert en écoutant les autres ?
Qu'est-ce que vous avez appris grâce à ce travail ?
Quelle a été la meilleure présentation ? Pourquoi ?

Brassens

Zazie

Renaud

Vanessa Paradis

# TEST DE COMPRÉHENSION ORALE !!!

## Que faire à Bruxelles ?

Cahier d'exercices, page 54

# ÊTES-VOUS CAPABLE DE...?

## DÉFINIR ET DÉCRIRE QUELQU'UN OU QUELQUE CHOSE À L'AIDE D'UN PRONOM RELATIF

oui non (Voir Livre, p. 40, 41)

**1 Que savez-vous sur ces personnages ? Sur leur pays d'origine ? (Utilisez dans vos réponses les pronoms *qui, que, où*).**

Score / 10

## FAIRE DES PROPOSITIONS / LES ACCEPTER OU LES REFUSER

oui non (Voir Livre, p. 45)

**2 Jules César propose à Cléopâtre une soirée idéale mais il n'a vraiment pas de chance : elle refuse presque tout le temps. Jouez la scène. Voici quelques idées : promenade en bateau sur le Nil, soirée musicale dans les jardins, regarder les étoiles dans le désert...**

Score / 10

## COMPARER EN UTILISANT *MEILLEUR* ET *MIEUX*

oui non (Voir Livre, p. 42, 43)

**3 Cléopâtre veut construire un nouveau palais. Elle hésite entre deux de ses architectes. Quelles questions se pose-t-elle ?**

Lequel des deux dessine le * ? Lequel a les * idées ? Est-ce que Ben travaille * que Samir ? Qui organise le * les travaux ? Le projet de Samir est-il * que celui de Ben ?

Score / 5

## EXPRIMER LA FRÉQUENCE

oui non (Voir Livre, p. 38)

**4 Êtes-vous bien informé ?**

Avec quelle fréquence...
1) allez-vous au cinéma ?
2) lisez-vous des BD ?
des journaux ?
des romans ?
des livres d'histoire ?
3) utilisez-vous Internet ?

Score / 5

Score total / 30

# PARLER

## 1. PRENDRE PART À UNE CONVERSATION

*Durée : 3 à 5 minutes*

**En tandem.** C'est samedi après-midi et vous proposez à un(e) ami(e) de sortir mais il / elle refuse et explique pourquoi. Vous insistez en proposant d'autres activités. Il / elle continue à refuser en donnant ses arguments. Vous concluez.

shopping
café
foot
cinéma
jeux vidéo
danser
promenade


## 2. S'EXPRIMER EN CONTINU

*Durée : 3 minutes*

**Monologue.** Développez un des sujets suivants pour le présenter à la classe.

1 Votre sport préféré
2 Un week-end sans les parents
3 Un week-end à la montagne
4 Organiser une fête
5 Un voyage que vous avez fait
6 Une aventure que vous avez vécue
7 Vos jeux quand vous étiez petit(e)
8 Qu'est-ce que vous voulez faire plus tard ?
9 Vos musiques préférées
10 Un(e) chanteur / chanteuse que vous aimez beaucoup


# ÉCRIRE

*Durée : 45 minutes – 100 mots*

**Racontez à un(e) ami(e) vos souvenirs d'enfance à l'école : dites comment étaient votre salle de classe, la cour, vos horaires ; évoquez des anecdotes sur vos copains, vos professeurs…**

# LIRE

*Durée : 30 minutes*

**Lisez ces opinions trouvées sur Internet à propos du *Journal d'Anne Frank.***

1. Je trouve ce livre barbant. Il est long et il raconte toujours la même chose. J'ai été très déçu ! ( :|
2. Je pense que l'héroïne est admirable, ainsi que toutes les personnes qui ont dû subir les mêmes horreurs.
3. Je ne l'ai pas trouvé terrible. :- |
4. Je trouve ce livre super ! Je l'ai relu plusieurs fois. :-)
5. J'adore Anne Frank. Elle écrit hyper bien et comprend la mentalité des jeunes. :-)
6. C'est une histoire émouvante et dramatique. Dès les premières pages, j'ai pleuré à chaudes larmes. :-(
7. Dès le début, je me suis laissé emporter par ce livre.
8. J'ai eu du mal à rentrer dans l'histoire et je l'ai laissé tomber. :-o
9. Je le conseille vivement. Surtout pour les passionnés de lecture.
10. J'ai a-do-ré !!! Je trouve ça hallucinant ! :-)
11. C'est un livre très émouvant, malgré les passages ennuyeux.

**Testez votre compréhension dans le Cahier d'exercices (page 56, exercices 1 et 2).**

# ÉCOUTER

*Durée : 30 minutes*

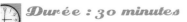

**Écoutez la conversation : qui parle à qui ? pourquoi ?** Testez votre compréhension dans le Cahier d'exercices (page 57, exercices 3, 4 et 5).

# Allô, allô... !

**1 Écoutez ces différentes conversations téléphoniques.**

Situation 1 :

**Imaginez ce que dit la personne qui appelle.**

- Bnjgggggfrrrrseeehhh ?
- Allô... qui est à l'appareil ?
- C'est Bgggggrrrraaaggggg.
- Excusez-moi, on entend mal. Vous pouvez répéter ?
- Je vgggggrrrrrrrffrrff.
- Oh là là, je n'entends rien. C'est de la part de qui ?
- VCBHGGHG.
- Comment ? Qu'est-ce que vous dites ? Oh là là. Je ne comprends vraiment pas ce qu'il dit... Écoutez, je raccroche et vous rappelez !

Situation 2 :

**D'après vous, que dit Mélanie ?**

- Allô ?
- ...
- Ah salut, Mélanie, ça va ?
- ...
- Heu, oui, il est là... à moitié endormi sur le canapé. Tu veux lui dire quelque chose ?
- ...
- D'accord... Marc ! Mélanie demande si tu veux aller au ciné avec elle ?
- ▲ Demande-lui à quelle heure !
- Monsieur voudrait savoir l'heure !!!
- ...
- À 19 h !
- ▲ Dis-lui que c'est OK... Ah Julien ! demande-lui si elle passera me chercher.
- Écoute, ça suffit ! Lève-toi et demande-lui tout ce que tu voudras. Je déteste jouer à ce jeu-là !!!

QUI EST À L'APPAREIL ?
OH, EXCUSEZ-MOI ! JE CROIS QUE JE ME SUIS TROMPÉE DE NUMÉRO.

Situation 3 :

**Écoutez cette conversation. Que se passe-t-il ?**

Situation 4 :

**Conflits à la maison... Écoutez : qui parle ? Chez toi, c'est pareil ?**

**2 Choisissez une de ces situations ou inventez-en une autre et jouez la scène.**

**3 Écoutez les quatre messages enregistrés sur le répondeur.**

Bonjour, vous êtes bien sur le répondeur de Monique Lepont. Laissez votre message après le bip sonore, je vous rappellerai. Merci.
Telephone Answering Machine
Beeperless Remote
STOP
MEMO
ANSWER ON/OFF
PLAY

**4 Donnez le plus d'informations possible sur les personnes qui ont laissé ces messages sur le répondeur de Monique.**

**5 Connaissez-vous des messages de répondeur sympathiques ou originaux ?**

**6 Relevez dans ces deux pages toutes les expressions utiles pour :**

**a)** répondre au téléphone
**b)** s'informer sur la personne qui appelle
**c)** demander de patienter
**d)** s'excuser

## Écoutez, observez, analysez

| STYLE DIRECT | | STYLE INDIRECT |
|---|---|---|
| « Patientez, s'il vous plaît ! » | → | Je vous demande de patienter. |
| « Ne criez pas ! » | → | Je vous dis de ne pas crier. |
| « Où es-tu ? » | → | Je ne sais pas où tu es. |
| « Tu es d'accord ? » | → | Je veux savoir si tu es d'accord. |
| « Qu'est-ce que tu dis ? » | → | Je te demande ce que tu dis. |
| « Qu'est-ce qu'on va faire ? » | → | Je demande ce qu'on va faire. |

**A Observez les transformations de ces phrases et repérez les trois constructions utilisées au style indirect.**

**B Écoutez et levez la main quand vous entendez une phrase au style indirect.**

**7 NE QUITTEZ PAS. Écoutez et chantez cette chanson.**

Allô ?
Qui est à l'appareil ?
C'est de la part de qui ?
Est-ce que ton frère est là ?
Je me suis trompé de numéro !

C'est occupé !
Une minute, s'il te plaît !
Je voudrais parler à...
Je rappellerai...

Ne quittez pas,
Je vous le passe.

Allô, c'est toi ?
Ici c'est moi.

Si vous voulez laisser un message...
Le numéro que vous avez demandé
N'existe pas.
Veuillez consulter l'annuaire.

**POUR MIEUX PARLER AU TÉLÉPHONE**

Mémorisez toutes les formules et les expressions utiles.
Adaptez-les à chaque situation.
Entraînez-vous en chantant la chanson.

Allô Pital ? Ici Catrice.
Allô Rangeade ? Ici Tronade.
Allô Tomobile ? Ici Troën.

**8 À vous d'inventer d'autres jeux de mots au téléphone !**

**9 Rapportez au style indirect une des situations téléphoniques de la page précédente.**

- Comprendre quelqu'un qui explique un problème
- Proposer des solutions et formuler des conseils

# Conseils

**1 Écoutez cette conversation entre Joël et une copine.** Quels conseils lui donne-t-elle ?

Alors, Joël ? Tu es fâché avec Noémie ?
Oui, on ne se parle plus...
Mais pourquoi ?
Oh, pour rien... Je lui ai dit une bêtise.
Pourquoi tu ne lui téléphones pas ?
Non, non, je n'ose pas...
Envoie-lui un mail...

**2 Lisez ces trois mails.** Lequel croyez-vous que Joël va envoyer ?

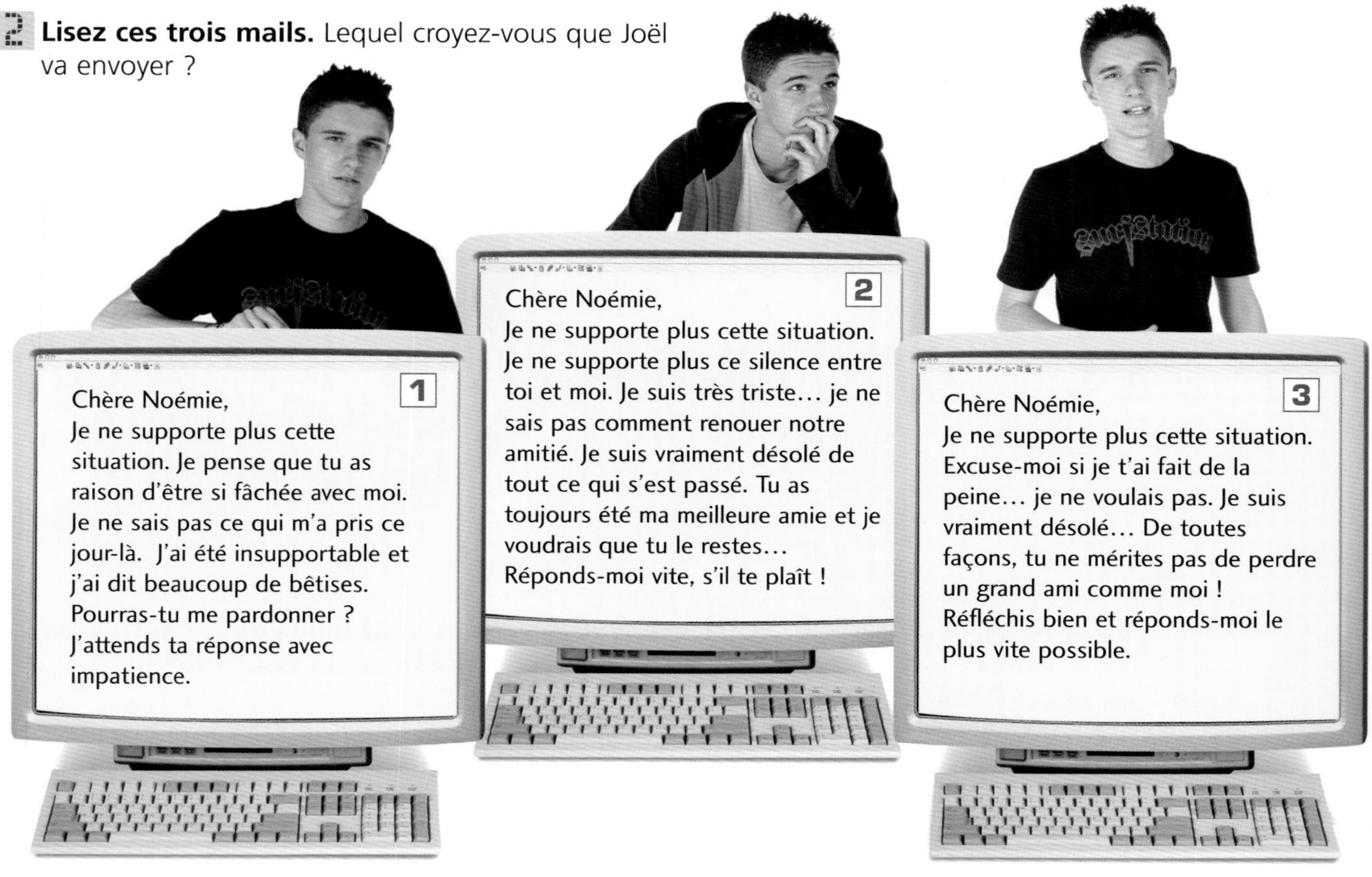
1
Chère Noémie,
Je ne supporte plus cette situation. Je pense que tu as raison d'être si fâchée avec moi. Je ne sais pas ce qui m'a pris ce jour-là. J'ai été insupportable et j'ai dit beaucoup de bêtises. Pourras-tu me pardonner ? J'attends ta réponse avec impatience.
2
Chère Noémie,
Je ne supporte plus cette situation. Je ne supporte plus ce silence entre toi et moi. Je suis très triste... je ne sais pas comment renouer notre amitié. Je suis vraiment désolé de tout ce qui s'est passé. Tu as toujours été ma meilleure amie et je voudrais que tu le restes... Réponds-moi vite, s'il te plaît !
3
Chère Noémie,
Je ne supporte plus cette situation. Excuse-moi si je t'ai fait de la peine... je ne voulais pas. Je suis vraiment désolé... De toutes façons, tu ne mérites pas de perdre un grand ami comme moi ! Réfléchis bien et réponds-moi le plus vite possible.

# Le courrier d'Anaïs

## Le moral dans les chaussettes ?

Vous vous posez des questions sur vous, sur l'amour ou l'amitié ? Vous avez des problèmes à la maison et vous ne savez pas à qui en parler ? Anaïs est là pour vous écouter ou vous conseiller.

### Je ne supporte plus mon frère

**Bonjour ! J'ai un frère qui n'arrête pas de me faire des remarques désagréables du genre « tu as vu ton look ? », « tu es vraiment nulle » etc., etc. Et moi, je n'en peux plus ! Au secours, aidez-moi !**
***Mireille - 14 ans***

**Sais-tu ce qui lui arrive, à ton frère ?**
Il a peur. Pour lui, les filles c'est un monde inconnu. C'est grâce à toi qu'il teste comment fonctionne une fille. Mais il faut lui faire comprendre qu'il n'a pas besoin d'écraser les autres pour s'affirmer. Il faut lui dire quelles sont les limites à ne pas dépasser. Explique-lui calmement ce que tu ressens quand il te parle comme ça. Si tu n'arrives pas à une solution, tes parents pourront sans doute te donner un coup de main. De toutes façons, n'oublie pas que les disputes font aussi partie de la vie de famille.

**3 Lisez ces deux lettres et leurs réponses.** Qu'en pensez-vous ?

**4 Relevez les expressions qui servent à donner des conseils.**

### Tout le monde a un portable sauf moi !

**Ma mère ne veut pas que j'aie un portable, même si c'est moi qui le paie. Je sais, je n'ai que 13 ans. Mais tout le monde en a un ! Peux-tu m'aider ?** *César*

**Pauvre César, tu es un des derniers représentants de l'homo desconnectus !**
Mais tranquillise-toi : statistiquement, sur la planète, 4 jeunes sur 5 vivent dans le même « isolement » que toi. Pourquoi tu ne leur proposes pas de monter une association ?
Et maintenant, parlons sérieusement. Peux-tu trouver d'autres arguments un peu plus consistants que « tout le monde en a un » ? Pour te préparer, fais une liste des situations où le portable te semble indispensable. Montre-la à ta mère et discutez-en. Peut-être qu'elle trouvera que tu as vraiment besoin d'un portable ou peut-être que tu réaliseras que tu n'en a vraiment pas besoin.

**5 Quels autres conseils donneriez-vous à Mireille ?**

**6 Qui regarde qui ?** Écoutez, répétez… puis continuez.

**7 D'après vous, quelles sont les situations où le portable est indispensable ?** Aidez César à faire sa liste.

**8 Imaginez les arguments de sa mère.**

## Observez et analysez

Diversité

**LA PLACE DES PRONOMS COMPLÉMENTS**

Elle ne lui parle pas.

Elle lui a dit de venir.

Ne lui parle pas, écris-lui un mail !

Elle va lui dire de se calmer.
Tu ne vas pas leur faire ça ?

Il faut leur parler.
Elle ne peut pas lui parler.

**A Quelle est la place du pronom complément indirect (aux formes affirmative et négative) quand le verbe est…**

- à un temps simple ?
- à un temps composé ?
- à l'impératif ?
- au futur proche ?
- à l'infinitif ? (complément d'un verbe conjugué)

**B Comparez avec votre langue.**

**C Est-ce la même règle avec les pronoms compléments directs *le*, *la* et *les* ou le pronom *en* ?**

# Trop, c'est trop !

**1** **Écoutez ces micro-conversations : qui parle ? avec qui ? où ? quel est le problème ? pourquoi ?**

**2** **Associez ces photos aux diverses situations.**

1
2
3
4
5
6
7
8
9
Alcool modifié
GILBERT
70% vol.

**3** **Réécoutez les dialogues.** Qui a dit ces phrases ? Réutilisez-les dans des mini-situations.

A Ça suffit !

B Tu en mets trop.

C Tu fais des histoires pour rien !

D Il ne travaille pas assez !

E On a beaucoup ri.

F C'est vraiment très bon !

## ÉcritOralÉcritOralÉcritOral

**A CONSONNES QUI FROTTENT / QUI CLAQUENT**

**Écoutez, lisez et répétez à haute voix.**

- Allons voir les étangs bordés de roseaux, allons nager vers l'horizon. 
- Pour qui sont ces serpents qui sifflent sur vos têtes ? 
- Les chats se lèchent en silence. 
- Le bois sec éclate sous le poids puissant des bottes qui traversent la clairière. 

**B De toutes ces consonnes, lesquelles produisent une sensation…**
**a) de frottement doux ?**
**b) de frottement sonore ?**
**c) de claquement sec ?**

**C Observez les graphies de ces sons.**

## Observez et analysez

**QUELQUES ADVERBES DE QUANTITÉ**

trop ■ très ■ beaucoup ■ assez ■ peu

**A Dans quel cas on utilise *très* et *beaucoup* ?**

**Attention !**
C'est très bon ! (+ adjectif)
C'est très bien ! (+ adverbe)
Elle travaille beaucoup. (+ verbe)
Il y a beaucoup de frites (+ nom)

**B Observez la place des adverbes.**

Elle dort beaucoup.
Elle a beaucoup dormi.
Tu manges trop.
Tu as trop mangé.

**4** **Nous avons ri, trop ri !** Écoutez et répétez ces séries en écho. À vous d'en inventer d'autres !

# Soins beauté

## Recettes maison

***Pour lui et pour elle, des solutions pas chères pour avoir une peau douce et fine***

**Remplacez votre lait démaquillant** par du lait ou du fromage blanc ! Cela vous permettra de purifier merveilleusement votre peau.

**Fabriquez votre tonique :** Pour cela, prenez quelques feuilles de laitue (les plus belles évidemment !). Passez-les au mixeur, diluez-les soigneusement dans un peu d'eau et faites bouillir 5 minutes... C'est prêt !

**Fabriquez votre crème :** Faites gonfler deux cuillerées à soupe de flocons d'avoine dans trois cuillerées à soupe d'eau tiède. Ajoutez deux cuillerées à café d'huile de germe de blé. Mélangez bien. Appliquez délicatement cette crème sur votre visage. Hyper hydratant !

**Préparez un gommage :** Mélangez doucement une cuillerée à soupe de jus de citron à deux de miel pour obtenir une pâte homogène. Appliquez cette pâte en massant constamment sur la zone T (front, nez et menton) pendant 5 minutes. Laissez reposer 10 minutes puis rincez abondamment à l'eau tiède. Adieu les cellules mortes !

**5 De quelles recettes s'agit-il ?**
Elles sont compliquées à réaliser ?

**6 Faites la liste des ingrédients et des quantités.**

**7 Donnez d'autres « recettes maison » dans ce style, vraies ou inventées (ingrédients et mode d'emploi).**

## Observez et analysez

**LES ADVERBES DE MANIÈRE EN –MENT**

**A Observez et expliquez comment se forment ces adverbes.**

| | | |
|---|---|---|
| doux | douce | doucement |
| fort | forte | fortement |
| joyeux | joyeuse | joyeusement |
| savant | | sav**am**ment |
| récent | | réc**em**ment |

**B Relevez dans le texte les adverbes de manière. À quel adjectifs correspondent-ils ?**

# DOC LECTURE : Pause Publicité

1 **Observez cette publicité.** Qu'est-ce qui attire en premier votre attention ?

2 **Quel est le produit annoncé ?** Comment est-il mis en valeur (image, texte...) ?

3 **À qui s'adresse cette pub ?** Comment le savez-vous ?

4 **Décrivez la jeune fille, son look, son caractère...**

5 **Où va-t-elle ?** Comment peut-on déduire que le mot « bahut » veut dire « collège » ?

6 **Trouvez trois adjectifs qui peuvent convenir aussi bien aux bottes qu'à la jeune fille.**

7 **Aimez-vous cette publicité ?** La trouvez-vous efficace ? Pourquoi ?

BUGGY® SHOES
BAHUT
Pardon pour le retard je laçais mes bottines
HOU la menteuse!!
Il y a un Ziiip!!!
49€

POUR MIEUX FAIRE FONCTIONNER SON CERVEAU (2)
Voir Cahier personnel, page 15.

TROP
de
PUB
réagissons
www.agirpourlenvironnement.org

## Les 15-24 ans adorent la pub :

84% trouvent qu'elle est belle et qu'elle procure du plaisir.

70% pensent qu'elle est fiable et ne trompe pas.

85% qu'elle fournit des informations qui sont utiles.

80% qu'elle donne envie d'acheter des produits.

Chiffres de l'enquête Simm scanner 2002. Interdeco Expert, effectuée auprès d'un échantillon de 10 000 personnes dont 1 971 de 15-24 ans.

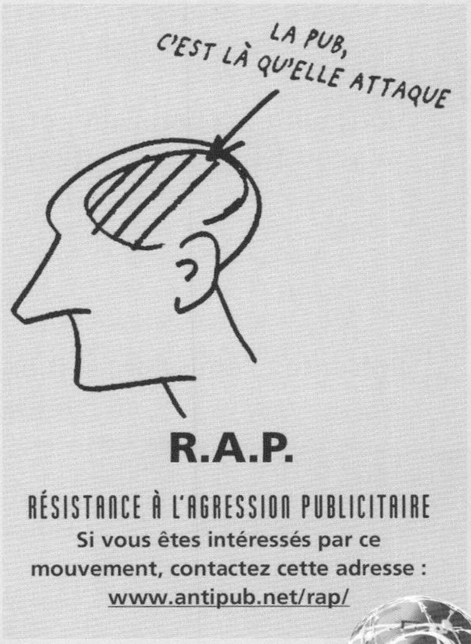
LA PUB, C'EST LÀ QU'ELLE ATTAQUE
R.A.P.
RÉSISTANCE À L'AGRESSION PUBLICITAIRE
Si vous êtes intéressés par ce mouvement, contactez cette adresse :
www.antipub.net/rap/

**8** **Et vous, que pensez-vous de ces documents ?**

## Atelier d'écriture INVENTEZ DES SLOGANS

Diversité

Les fromages suisses, passionnément suisses.

Prix Confo, prix KO.

LA PETITE FORTE.

C'est bon, c'est bien, c'est BOSH !

Au volant, la vue, c'est la vie.

4, 3, 2, 1... Énergy... la vitalité pensez-y...

Le délice qui délasse.

À FOND, LA FORME !

**1** **Lisez ces slogans à haute voix.** À quels produits vous font-ils penser ? Mettez-les en rapport avec ces marques ou organismes : *Lipton, Fromages suisses, Ford, Décathlon, Bosch, Sécurité Routière, Arkopharma Laboratoires* et *Conforama.*

**2** **Quels procédés sont utilisés pour rendre ces slogans percutants ?** (rimes ? jeux de mots ? jeux phonétiques ? répétitions ? ellipse des verbes ?...) Trouvez dans la liste de slogans un exemple pour chaque cas.

***À vos plumes !***

**3** **Choisissez un produit et écrivez des slogans...**

# PROJET Bien dans ses mots... !!! Bien dans sa peau !!!

1 **Vous allez préparer un petit bout d'une émission de radio sur le thème « Bien dans sa peau !!! ».** Vous pouvez choisir entre :

- raconter une histoire
- faire une annonce publicitaire
- expliquer une recette ou un mode d'emploi
- faire des propositions pour se sentir mieux, etc.

2 **Présentez l'émission, soit en direct, soit sur une cassette !**

Chers auditeurs ! Merci d'être à l'écoute de « Bien dans sa peau !!! », l'émission qui remplit sa mission et vous montre du beau !!! Aujourd'hui, au programme, le courrier des lecteurs... comme toujours ! Mais d'abord, une petite pause publicité. À tout de suite !
Hummmm... c'était bon... !!! « Pâtes à la chinoise Speednudel ! : 4 000 ans de tradition préparées... en 4 minutes ! » et... avalées en 2 secondes !

## TEST DE COMPRÉHENSION ORALE !!!

### À l'écoute de la SNCF

Cahier d'exercices, page 68

# ÊTES-VOUS CAPABLE DE...?

### EXPRIMER LA QUANTITÉ AVEC UN ADVERBE

oui non (Voir Livre, p. 54)

**1 Écoutez. Rémi n'a pas très envie de parler. Que répond-il à sa mère ?**

Score / 5

**2 Continuez l'interrogatoire de la mère de Rémi.**

Score / 5

### RÉPONDRE À UN APPEL TÉLÉPHONIQUE

oui non (Voir Livre, p. 50, 51)

**3 Écoutez et réagissez à ces situations.**

Score / 5

**4 Vous téléphonez à votre bon ami Henri de Lagrange. Il est malheureusement absent. Vous laissez un message à son majordome. Jouez la scène.**

Score / 5

### RAPPORTER LES PAROLES DE QUELQU'UN

oui non (Voir Livre, p. 50, 51)

**5 Écoutez et racontez ce que monsieur Blanc dit à sa chienne, et imaginez ce qu'elle répond.**

Score / 10

### PROPOSER DES SOLUTIONS À UN PROBLÈME

oui non (Voir Livre, p. 52, 53)

**6 Un de vos meilleurs amis s'est fâché avec... Racontez le problème et tous les bons conseils que vous avez donnés.**

Score / 10

Score total / 40

- Décrire les différents moments d'une action
- Parler des sports qu'on aime

# Les sports d'aventure

**1** **Écoutez.** Thierry Levant, sportif et voyageur infatigable, commente ses photos de voyage.

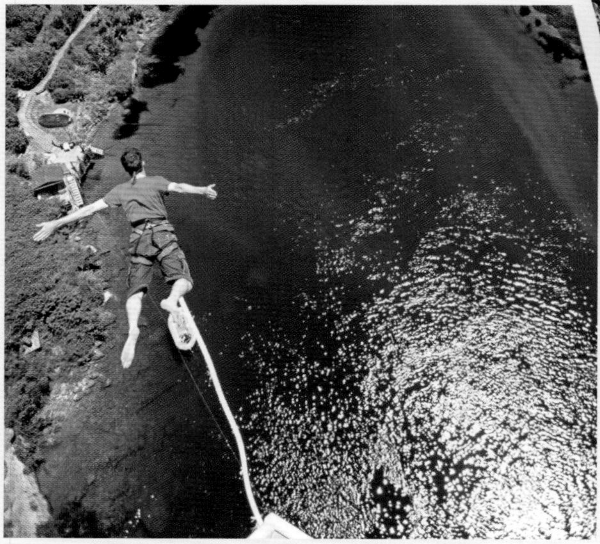

Ici... c'est dans le Massif central...
le jour où on est allés faire du saut à l'élastique avec les copains. Je suis en train de sauter...

Ici... on vient de faire du rafting dans les Pyrénées... Je suis encore tout mouillé...

Ici, c'est Yvon ! C'est en Afrique du Sud. Là, on a eu peur... Il était sur le point de perdre l'équilibre...

Ah ça... c'est trop ! C'est Gisèle qui va se jeter dans le vide. C'est la reine du parapente.

**2** **Racontez les aventures de Thierry Levant ou de ses amis.** Que font-ils sur chaque photo ?
*Ici, il(s) / elle...*

**3** **Connaissez-vous d'autres sports à risque ?**

Diversité

Cherchez des renseignements sur les sports à risque.

**4** **Pratiquez-vous ou aimeriez-vous pratiquer ce genre de sport ?** Pourquoi ?

## Observez et analysez

**LES DIFFÉRENTS MOMENTS DE L'ACTION**

Un autocar ponctuel : Nîmes – Nice Départ 9 h – Arrivée 12 h

08 h 45

Marc **court.** Il va prendre l'autocar pour Nice.

08 h 59
Je roule
au GAZ NATUREL

L'autocar est sur le point de partir. Ouf ! Marc est monté juste à temps.

10 h 00

L'autocar est en train de rouler sur l'autoroute.

12 h 00

L'autocar vient d'arriver super-ponctuel comme toujours !

**Observez les formes verbales utilisées. Lesquelles correspondent au présent progressif ? au futur proche ? au passé récent ? Trouvez d'autres exemples, page 60.**

5 **À vos plumes !** Choisissez quelques photos de vos aventures ou de celles de vos héros favoris (films, jeux vidéo…) et commentez-les en mettant en valeur les différents moments de l'action.

# Un bébé à la maison, c'est aussi une aventure

6 **Stéphan et Céline viennent d'avoir leur premier bébé, Juliette.** Commentez ces photos avec les structures proposées.

Prendre son bain, ça fait du bien !

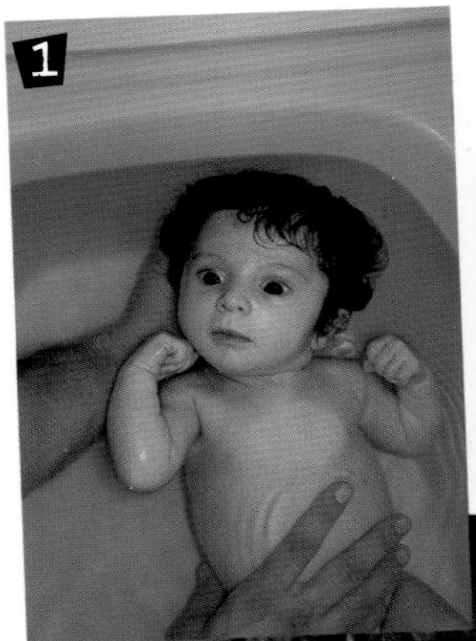
1

Elle fait sa sieste, nous on mange.

2

Elle est contente et toute propre.

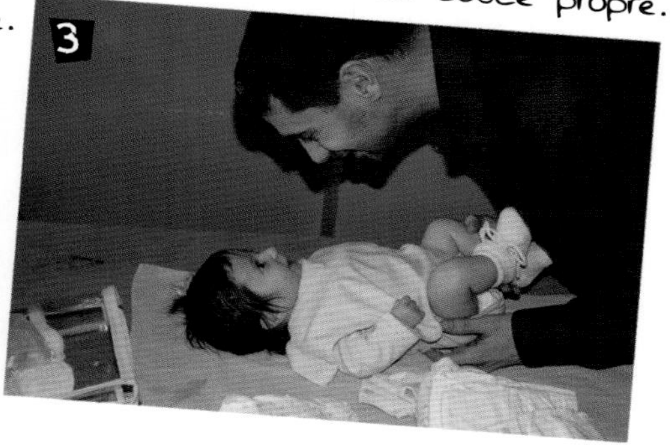
3

Juliette réclame son biberon.

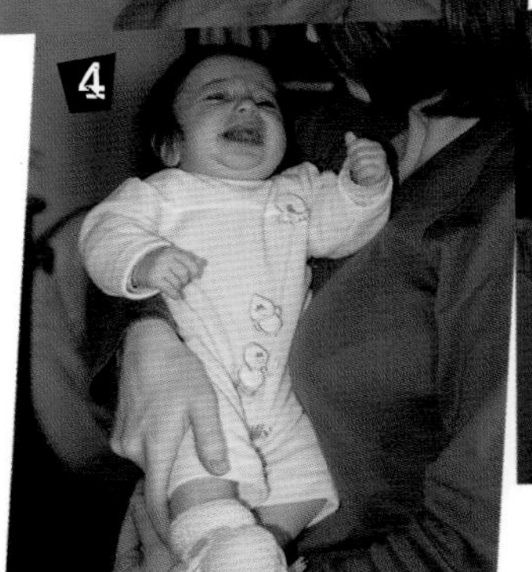
4

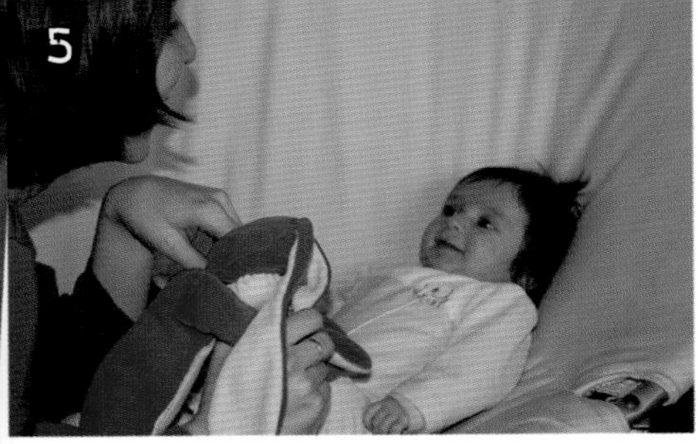
5

Beau sourire après le biberon.

### Les différents moments de l'action

**venir de**
**être en train de**
**être sur le point de**
**aller**
} **+ infinitif**

7 **Écoutez les commentaires de Stéphan et de Céline.** À quelle(s) photo(s) correspondent-ils ?

- Raconter un petit accident au passé
- Poser les questions d'une enquête
- Raisonner logiquement à partir de données

# JEU ÉNIGME
# Le pot de fleurs assassin

Hier, à 14 heures, Julie Meuble, la concierge du 13, rue Bellevue est sortie de sa loge pour demander à Mme Dujardin de garer correctement sa voiture. À ce moment-là, elle a reçu un pot de fleurs sur la tête. Tous les habitants de l'immeuble sont suspects, mais qui est le coupable ?

Que faisiez-vous hier, à 14 heures ?

**1** Écoutez ce qu'ils disent.

## LES SUSPECTS

### Rose DUJARDIN

J'étais en train de décharger les nouvelles pièces pour ma collection. J'ai seulement remarqué la silhouette de M. Lique à une fenêtre du 3e étage.

### Enrico LIQUE

J'étais chez une vieille amie de l'immeuble. Nous prenions tranquillement un café... Nous n'avons rien entendu d'anormal.

### René ROUGE

Je suis monté au 2e étage pour avertir mon voisin qu'il y avait une fuite d'eau chez lui. J'ai sonné, j'ai sonné, mais comme il ne répondait pas, je suis redescendu.

### Annie MAUX

Un voisin est venu chez moi pour prendre le café. C'est le seul qui aime bien Tatie, mon petit boa constrictor...

### Salva D'ORDALI

J'essayais de peindre dans mon atelier, mais ma voisine du dessus criait comme une folle au téléphone et je ne pouvais pas me concentrer.

### Samir EDO

J'étais en train de répéter la *Symphonie pathétique pour clarinette.* J'ai un concert ce week-end, alors je n'ai pas bougé de chez moi de toute la journée.

### Loly RIQUE

J'ai vu Mme Dujardin se garer devant l'immeuble, alors j'ai téléphoné à Mme Meuble pour lui demander de faire quelque chose ! Tout à coup, j'ai entendu un cri et puis, plus rien.

### Marc ONFITURE

J'essayais de téléphoner à la concierge parce que je ne supportais plus le bruit de la clarinette dans l'appartement d'en face mais... c'était occupé, comme d'habitude !

## LA VICTIME Julie MEUBLE, la concierge

Loly Rique venait juste de me téléphoner pour m'avertir que la voiture de Mme Dujardin n'était pas bien garée, comme d'habitude, alors je suis sortie de ma loge pour aller lui parler et tout à coup, quelque chose de très lourd m'est tombé sur la tête... j'ai crié... et puis, je ne me rappelle plus rien !

3e A
3e B
TROISIÈME ÉTAGE
2e A
2e B
DEUXIÈME ÉTAGE
1er A
1er B
PREMIER ÉTAGE
0A
0B
REZ-DE-CHAUSSÉE
LOGE DE LA CONCIERGE

**2** **Observez l'immeuble.**

**1)** Où se trouve la loge de la concierge ?
**2)** À quel étage il y a un « animal de compagnie » ?
**3)** De quels appartements s'agit-il ?
**a)** Un musicien y habite.
**b)** On y trouve beaucoup de sculptures.
**c)** Un artiste peintre y travaille.

POUR MIEUX ORGANISER SA PENSÉE
Voir Cahier personnel, page 16.

**3** **Pour bien mener son enquête, l'inspecteur Legros commence par déterminer dans quel appartement habitent les suspects.** Lisez leurs déclarations et observez le plan de l'immeuble. Pouvez-vous aider l'inspecteur ?

**4** **L'inspecteur découvre qu'un des suspects ment : c'est celui-là le coupable !** Relisez les déclarations de chacun. Vous avez trouvé, vous aussi ? Qui est-ce ?

# Doc Lecture : Synchro, les artistes

## Dans l'ordre ou dans le désordre, l'essentiel, dans un ballet aquatique, c'est l'esprit collectif

ATHENS 2004
Bon courage à tous et à toutes et... beaucoup d'Énergie ! Très cordialement, Eiza et Andrea

« Les Espagnoles sont sympas et mettent de l'ambiance, comme les Brésiliennes, raconte Hélène Martin, prof de natation synchronisée à Paris. En plus, elles ont une excellente chorégraphe qui les suit depuis 7 ans ».
Lors des derniers J.O. à Athènes, elles ont devancé toutes les autres nations européennes, ne ratant le podium que d'un cheveu, devant les indéboulonnables Américaines, Russes et Japonaises. Comme les autres, elles ont mis un an à mettre au point leur ballet, un hommage au célèbre peintre espagnol Salvador Dali. Les nageuses commencent par répéter les nouvelles figures sans musique. Comme les danseuses, elles ont besoin de compter. Alors l'entraîneuse donne le rythme en tapant sous l'eau avec une cuiller ; ce sont les séances de « tape-tape ». Il faut ensuite régler les enchaînements des différentes positions.

## Sous l'eau, les nageuses ont du mal à se voir les unes les autres

Alors elles commencent hors de l'eau en se servant des bras pour faire les mouvements des jambes : c'est la répétition « à sec ».

Une fois que la chorégraphie est retenue et que les synchronisations sont au point, elles plongent. La vidéo leur sert à faire les ajustements. Le jour J, elles se plaquent les cheveux avec de la gélatine et se maquillent avec les moyens du bord : un trait de rouge à lèvres sur les paupières, ça tient mieux que du blush. Et elles ne sourient que lorsqu'elles ont la tête hors de l'eau. Pour la photo !

## De l'air !

Sous l'eau, elles tiennent 1 min 30 sans effort. Mais dès qu'il s'agit de faire des figures, les capacités d'apnée diminuent de moitié.
Dans un ballet de 3 min 30, les longues périodes d'apnée sont limitées : au début, pour impressionner les juges, et à la fin, pour en mettre plein la vue !

## Pas touche !

En répétition, les nageuses se reposent sur une main pour se concentrer sur la synchronisation de leurs mouvements.
Un geste qu'elles ne devront pas faire en compétition : on ne touche ni le fond ni le bord du bassin.



**Lisez les textes et répondez aux questions.**

**1)** Quelle équipe illustre ce reportage ?
**2)** Comment se prépare un spectacle ?
**3)** Pourquoi la vidéo est-elle utile pendant les répétitions ?
**4)** Combien de minutes peuvent-elles tenir en apnée ?
**5)** Citez un des gestes interdits pendant une compétition.

### ÉcritOralÉcritOralÉcritOral

**LES LIAISONS : UN PHÉNOMÈNE CRÉATEUR D'HARMONIE**

***Exemple : Ma vie est une danse de plus en plus rapide...***

**Écoutez puis relisez ce poème à haute voix. Combien y a-t-il de liaisons ? Où se produisent-elles ? Pourquoi ?**

# Atelier d'écriture Poème

Ma vie est un ciel bleu
où volent des nuages noirs.
Ma vie est une danse
De plus en plus rapide,
Ma vie est une porte
qui ne s'ouvre jamais.
Ma vie est un volcan
qui est prêt à exploser
Ma vie est un jardin
Où tout pousse en désordre.
Ma vie est cet amour
que je ressens pour toi.
Ma vie est une chanson
de plus en plus sonore.
Ma vie, c'est une larme
Sur la joue de mon frère.
Ma vie, c'est les amis
Qui me tendent la main.

**1 Lisez ce poème-définition.** Quelles phrases préférez-vous ? Pourquoi ?

**2 Repérez les éléments qui rendent ce texte poétique : répétitions, rimes, sons, images évoquées, sensations...**

***À vos plumes !***

**3 Et votre vie ?** Continuez ce poème.

**4 Créez votre poème-définition à partir d'autres sujets.** *Exemples : l'amour, l'amitié, le travail, votre chien...*

# PROJET Récits en photos

- Découpez dans une revue une ou deux photos de votre choix.
- Préparez individuellement les mots ou les expressions nécessaires pour pouvoir parler de ces photos, les commenter ou les décrire.
- Par groupes de trois ou quatre, rassemblez vos photos. Trouvez un lien possible entre elles et racontez une histoire où apparaîtront les lieux, les personnages ou les objets figurant sur vos photos.
- Vous pourrez présenter votre histoire oralement, par écrit, sur scène ou sur un tableau mural…
- Ajoutez des dessins, des personnages ou des effets spéciaux.

*Vous serez appréciés, applaudis, jugés par les autres groupes.*

| CRITÈRES D'ÉVALUATION | | | SCORE |
|---|---|---|---|
| Présentation | ► | originale ? créative ? claire ? amusante ? | / 5 points |
| Construction des phrases | ► | correcte ? incorrecte ? simple ? complexe ? | / 5 points |
| Vocabulaire | ► | riche ? approprié ? pauvre ? | / 5 points |
| Grammaire | ► | correcte ? beaucoup d'erreurs ? quelques erreurs ? | / 5 points |

## TEST DE COMPRÉHENSION ORALE !!!

*Vive les loisirs !*

Cahier d'exercices, page 76

# ÊTES-VOUS CAPABLE DE...?

## DÉCRIRE LES DIFFÉRENTS MOMENTS DE L'ACTION

oui ☺ non ☹ (Voir Livre, p. 60, 61)

**La lettre d'Amélie.** Amélie a reçu une lettre anonyme. Elle regarde à droite, à gauche… elle ne comprend pas.

**1** **Comment réagit Amélie ? Observez les dessins et indiquez les différents moments de cette séquence. Aidez-vous de la boîte à mots.**

le montrer à sa meilleure copine • jeter à la poubelle • lire et rougir • recevoir une lettre anonyme et l'ouvrir • la garder dans son sac

①

②

③

④

⑤

Score / 5

## MENER UNE ENQUÊTE

oui ☺ non ☹ (Voir Livre, p. 62, 63)

**2** **Cette lettre, c'est la déclaration d'un admirateur anonyme ou… de quelqu'un qui lui fait une blague ? Vous voulez tout savoir, vous lui posez des questions.**

Score / 6

## INDIQUER LE LIEU AVEC LE PRONOM « Y » (RÉVISION)

oui ☺ non ☹ (Voir Livre, p. 63)

**3** **Le rendez-vous. Qu'est-ce qu'elle a fait ? Répondez aux questions.**

CAFÉTÉRIA

Amélie

CAFÉTÉRIA

**1)** Elle est allée au rendez-vous toute seule ?
**2)** Est-ce qu'ils ont mangé à la cafétéria de la fac ?
**3)** Est-ce que la lettre était dans son sac ?
**4)** À votre avis, est-ce qu'ils sont restés longtemps à la cafétéria ?

Score / 4

## FAIRE UN RÉCIT AU PASSÉ

oui ☺ non ☹ (Voir Livre, p. 62, 63, 66)

**4** **Amélie est très contente de son rendez-vous. Elle raconte son aventure à une amie.**

Score / 10

Score total / 25

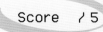

# PARLER

## 1. PRENDRE PART À UNE CONVERSATION

*Durée : 5 minutes*

**En tandem.** Vous téléphonez à un(e) de vos copains / copines pour lui raconter un gros problème. Il ou elle vous donne des conseils… La communication se coupe et vous retéléphonez.

## 2. S'EXPRIMER EN CONTINU

*Durée : 3 minutes.*

**Monologue.** Développez un des sujets suivants pour le présenter à la classe.

Votre maison et vos endroits préférés
Petits conflits
Petits plaisirs de la vie quotidienne
Être en forme
Santé : les bonnes habitudes
Vos copains
Vos repas préférés
LA PUB
Projets de vacances

# ÉCRIRE

*Durée : 45 minutes*
*80-100 mots environ*

**Un ami qui est nul en cuisine vous a demandé de lui envoyer par mail une de ces recettes que vous préparez si bien. Vous répondez.**

# LIRE

*Durée : 30 minutes*

## CHOISIR UN MÉTIER : patron de restaurant

**« Quand on est chef de cuisine et patron en même temps, il faut gagner une double confiance : celle de ses employés et celle des clients. »**

GARÇON ! IL Y A TROP DE VINAIGRE DANS CETTE SOUPE...
DÉSOLÉ, ELLE EST COMME ÇA... C'EST UNE CRÉATION DE NOTRE NOUVEAU CUISINIER...

TÉMOIGNAGE : PATRICK METZGUER, 42 ANS, CHEF CUISINIER ET PATRON D'UN RESTAURANT ALSACIEN À BELFORT

Tous les jours, je vais de bonne heure au marché pour choisir des produits frais : viande, poisson, légumes et fruits... Quand je reviens, je compose la carte du jour : menu, plat du jour... et l'équipe de cuisine se met en route. Dans la salle, il faut préparer la disposition des tables selon les réservations.
Le premier service commence à midi, le deuxième à 18 heures. Le soir, je révise la comptabilité avec ma femme, qui travaille normalement à la caisse... Moi, j'ai toujours vécu au milieu des casseroles... Quand j'ai commencé sérieusement, j'avais 14 ans, j'aidais mon père à la cuisine dans son restaurant. J'ai suivi mes études et j'ai fait des stages dans les grands restaurants de plusieurs villes, j'ai aussi appris les spécialités de toutes les régions et surtout j'ai eu la possibilité de rencontrer beaucoup de gens intéressants...
À 25 ans, j'ai ouvert mon propre restaurant et j'en suis très fier. Maintenant, c'est moi qui enseigne les spécialités alsaciennes à de jeunes apprentis. Je fais d'énormes journées de travail, mais c'est très stimulant... Bon courage à tous ceux qui désirent se lancer dans cette aventure !

**POUR PRÉPARER À ÊTRE PATRON, LES LYCÉES HÔTELIERS PROPOSENT UN BAC PRO ET UN BTS RESTAURATION**

**Lisez le texte et testez votre compréhension dans le Cahier d'exercices (page 78, exercices 1, 2 et 3).**

# ÉCOUTER

*Durée : 40 minutes*

**Les recettes de Mamie. Écoutez et répondez : qui parle ? où ? et pourquoi ?**
Testez votre compréhension dans le Cahier d'exercices (page 79, exercices 4, 5, et 6).

# Les articles

## Définis

| masculin singulier | féminin singulier | masc. / fém. pluriel |
|---|---|---|
| le garçon | la fille | les garçons |
| l'animal | l'île | les filles |
| l'hôtel | l'histoire | les animaux |
| | | les histoires |

**N'oubliez pas !**

On utilise l' devant les noms singuliers commençant par une voyelle ou par un « h » muet.

## Indéfinis

| masculin singulier | féminin singulier | masc. / fém. pluriel |
|---|---|---|
| un arbre | une plante | des arbres |
| un jardin | une orange | des plantes |
| | | des jardins |
| | | des oranges |

**Attention !**

Quand le mot commence par une voyelle ou un « h » muet, il faut faire la liaison.

## Contractés

**à + article défini**

◆ à + le = au
Une glace au chocolat. **Mais :** Je suis à l'hôtel.

◆ à + les = aux
On va aux États-Unis.

***de* + article défini**

◆ de + le = du
La rue du Parc. **Mais :** La porte de l'escalier.

◆ de + les = des
Il arrive des Baléares.

# Les adjectifs

## Démonstratifs

| masculin singulier | féminin singulier | masc. / fém. pluriel | |
|---|---|---|---|
| ce bus | cette rue | ces bus | ces rues |
| cet hôpital | cette avenue | ces hôpitaux | ces avenues |
| cet autocar | cette histoire | ces autocars | ces histoires |

JE DOIS PRENDRE CET AVION !
BROOM !

**Attention !**

**Ce** devient **cet** avec les mots masculins qui commencent par une voyelle ou par un « h » muet.

## Possessifs

| masculin singulier | féminin singulier | masc. / fém. pluriel |
|---|---|---|
| mon pull | ma* chemise | mes pulls / chemises |
| ton pull | ta* chemise | tes pulls / chemises |
| son pull | sa* chemise | ses pulls / chemises |
| notre professeur | notre amie | nos professeurs / amies |
| votre professeur | votre amie | vos professeurs / amies |
| leur professeur | leur amie | leurs professeurs / amies |

**Attention !**

Pour bien utiliser les adjectifs possessifs, il faut savoir qui est le possesseur.
il, elle ➔ son, sa, ses
nous ➔ notre, nos
ils, elles ➔ leur, leurs

*Devant les mots féminins commençant par une voyelle ou un « h » muet, on utilise l'adjectif masculin.
mon horloge, ton amie, son automobile

# Les pronoms

## Personnels

| **Sujets**<br>Obligatoires devant le verbe. | **Compléments d'object direct** | **Compléments d'object indirect** | **Toniques**<br>Isolés, après une préposition ou *c'est*. | **Réfléchis**<br>Avec les verbes pronominaux. |
|---|---|---|---|---|
| je | me* | me* | moi | me, m'* |
| tu | te* | te* | toi | te, t'* |
| il, elle, on | le, la, l' | lui | lui, elle | se, s' |
| nous | nous | nous | nous | nous |
| vous | vous | vous | vous | vous |
| ils, elles | les | leur | eux, elles | se, s' |
| On est enfin arrivés ! | Il l'attend. Il l'aime. | Il lui téléphone. | Toi, moi et la musique ! | Je me coiffe. |

Coa-coa
Coa-coa

**N'oubliez pas !**

*** Avec l'impératif affirmatif, on emploie les pronoms toniques.**
Tu m'écoutes ? Écoute-moi !
C'est l'heure ! Lève-toi !

## Relatifs

### Qui

- **Sujet (personne ou chose).**
  J'ai acheté des chaussures qui vont te plaire.
- **Précédé d'une préposition, remplace un nom de personne.**
  Le copain avec qui je voulais partir en vacances est tombé malade.
- **S'utilise pour mettre en relief.**
  Qui est-ce qui vient avec moi ?

### Que

- **Complément (personne ou chose).**
  J'ai adoré le livre que tu m'as offert.

**N'oubliez pas !**

**Que devient Qu' devant une voyelle ou un « h » muet.**
Je connais bien la fille qu'il aime.

### Où

- **Complément circonstanciel de lieu.**
  La piscine où je vais d'habitude est fermée aujourd'hui.
- **Complément circonstanciel de temps.**
  L'année où j'ai eu 15 ans, j'ai organisé une grande fête.

# La quantité

Quand on veut préciser la quantité, on utilise :

## Des nombres

| | | | |
|---|---|---|---|
| 0 zéro | 10 dix | 20 vingt | 100 cent |
| 1 un | 11 onze | 21 vingt et un | 200 deux cents |
| 2 deux | 12 douze | 22 vingt-deux | 306 trois cent six |
| 3 trois | 13 treize | 30 trente | 440 quatre cent quarante |
| 4 quatre | 14 quatorze | 40 quarante | 1000 mille |
| 5 cinq | 15 quinze | 50 cinquante | 2010 deux mille dix |
| 6 six | 16 seize | 60 soixante | 1 000 000 un million |
| 7 sept | 17 dix-sept | 70 soixante-dix | 1 000 000 000 un milliard |
| 8 huit | 18 dix-huit | 80 quatre-vingts | |
| 9 neuf | 19 dix-neuf | 90 quatre-vingt-dix | |

## Des expressions de quantité (poids, mesures...)

**Quelle est la distance entre ... et ... ?**

14 km (kilomètres)
1 400 m (mètres)

**Combien ça mesure ?**

12 cm (centimètres)
120 mm (millimètres)

**Combien vous en voulez ?**

un demi-litre
2 litres et demi

250 g (grammes)
1 kg (kilogramme)

**Qu'est-ce que vous mettez dans votre recette ?**

une bouteille d'huile
un verre d'eau
un brick de lait
une cuillerée de café
une boîte de thon
une douzaine d'œufs

**Combien ça fait ?**
**Combien ça coûte ?**

deux euros

cinquante centimes

13 € 10
(treize euros dix)

## Des adverbes de quantité

Il a un peu de / assez de / beaucoup de / trop de visites ?

Il est un peu / très malade ?

Il dort peu ?
Il ne se repose pas assez ? / pas beaucoup ?

Quand on ne précise pas la quantité, on utilise :

| | Les partitifs | | Les indéfinis |
|---|---|---|---|
| **Il y a** | du chocolat<br>de l'huile<br>de l'ail | de la neige<br>de la musique<br>de l'eau | des croissants<br>des amandes<br>des fruits |
| **Il n'y a pas** | de chocolat<br>d'huile<br>d'ail | de neige<br>de musique<br>d'eau | de croissants<br>d'amandes<br>de fruits |

**Attention !**

**On utilise surtout ces articles quand il s'agit :**
- **de nourriture :** Je voudrais du lait et du chocolat.
- **de noms abstraits :** Il a de l'humour.
- **d'activités :** Il fait du sport et de la musique.

## Le pronom *en*

Le pronom ***en*** remplace un mot précédé :

– d'un **partitif** : ● Tu fais de la natation ? ■ Non, je n'en fais pas.

– d'un **indéfini** : ● Prends un croissant ! ■ Prends-en un.

– d'une **expression de quantité suivie de *de*** : ● Tu as beaucoup de devoirs ? ■ Oui, j'en ai beaucoup.

# Le pluriel des noms et des adjectifs

| À l'écrit | | | À l'oral<br>**On entend une différence avec le singulier ?** |
|---|---|---|---|
| **Règle générale :** | On ajoute un ***-s*** à la forme écrite au singulier. | des tigres sauvages<br>les sacs rouges | NON : On n'entend pas le *-s* final. |
| | | les éléphants africains<br>mes amis anglais | OUI : On entend le son [z] du déterminant *(les, mes)* devant une voyelle ou un « h » muet. |
| **Mots terminés par :** | On ajoute : | | |
| ◆ ***-s, -x, -z*** | – | des nez<br>des souris | NON : On n'entend pas la consonne finale. |
| ◆ ***-au, -eau, -eu*** | ***x*** | des gâteaux<br>de beaux cheveux | NON : On n'entend pas le *-x* final. |
| ◆ ***-al*** | ***aux*** | des chevaux géniaux | OUI : On entend le son [o] du pluriel. |
| ◆ ***-ail*** | ***aux*** | des travaux compliqués<br>les coraux rouges | OUI : On entend le son [o]. |
| **Attention !**<br>◆ bal, carnaval, festival suivent la règle générale. | | des festivals | NON : On n'entend pas le *-s* final. |
| ◆ ***-ou :*** bijou, caillou, chou, hibou, genou, joujou, pou | ***x*** | des hiboux fous<br>des choux mous | NON : On n'entend pas le *-x* final. |
| ◆ œil, ciel, œuf, bœuf | | des yeux, des cieux, des œufs, des bœufs | OUI : Le mot se prononce différemment. |

**Attention !**
monsieur ➔ messieurs ; madame ➔ mesdames ; mademoiselle ➔ mesdemoiselles

# Comparatifs et superlatifs

| **Ils portent sur :** | Comparatifs | Superlatifs | |
|---|---|---|---|
| ◆ un nom | J'ai plus de mémoire que toi.<br>autant de<br>moins de | Qui a le plus de mémoire ?<br>le moins de |  |
| ◆ un adjectif | Elle est plus belle que moi.<br>aussi<br>moins | Qui est la plus belle ?<br>la moins |  |
| ◆ un adverbe | Je vais plus vite que vous.<br>aussi<br>moins | Qui va le plus vite ?<br>le moins |  |
| ◆ un verbe | Tu parles plus que moi.<br>autant que<br>moins que | Qui parle le plus ?<br>le moins |  |

**Attention !**

**Le comparatif de bon est meilleur.** Ce gâteau est bon mais l'autre est meilleur.
**Le superlatif : le meilleur.** C'est le meilleur de tous.

**Le comparatif de bien est mieux.** Tu conduis bien, mais elle conduit mieux.
**Le superlatif : le mieux.** C'est elle qui conduit le mieux.

# Se situer dans le temps

### L'heure et les moments de la journée

Il est…
On se lève à…

huit heures du matin
sept heures du soir
trois heures de l'après-midi
à midi
à minuit

à l'heure
en avance
en retard

trois heures et demie
et quart
moins cinq
moins le quart

COCORICO!
IL EST EN RETARD!

### Les jours de la semaine

Nous sommes…
C'est…

lundi
mardi
mercredi
jeudi
vendredi
samedi
dimanche

le week-end
les jours de la semaine
les jours fériés

COLLÈGE SAINT-LOUIS
C'EST SAMEDI.
FERMÉ?

### Les mois et les saisons

*hiver (en)*
janvier
février
mars
*printemps (au)*
avril
mai
juin
*été (en)*
juillet
août
septembre
*automne (en)*
octobre
novembre
décembre

AH… C'EST LE PRINTEMPS…

### Les dates

Nous sommes…
C'était…

le 1er mai 1999
le 15 janvier 2008
le mardi 15 mars
en août
au mois de février

en 1743
au XVIIIe siècle

AU XIXe SIÈCLE…
AU XXIe SIÈCLE…

## Autres indicateurs temporels

**Passé**

autrefois
avant
hier
avant-hier
la semaine dernière
tout à l'heure
il y a une semaine
ça fait longtemps

J'AI PRIS MA DOUCHE HIER OU… AVANT-HIER?

**Présent**

actuellement
maintenant
aujourd'hui
cette année / semaine
en ce moment
à présent

EN CE MOMENT, JE SUIS DERRIÈRE TOI.

**Futur**

dans quelques années
après
demain
après-demain
lundi prochain
la semaine prochaine
dans une minute
tout à l'heure
à partir de

JE COMMENCERAI TOUT À L'HEURE, DANS UNE MINUTE OU… LA SEMAINE PROCHAINE.

**La fréquence**

jamais
rarement
de temps en temps
quelquefois
parfois
souvent
très souvent
d'habitude
toujours
tout le temps

JE NE VAIS JAMAIS CHEZ LE COIFFEUR.

## Chronologie des événements

d'abord … ensuite … puis … après … finalement

D'abord, j'ai sonné à la porte, ensuite j'ai attendu, puis j'ai sonné de nouveau… rien, personne. Finalement je suis reparti, tout triste.

# Se situer dans l'espace

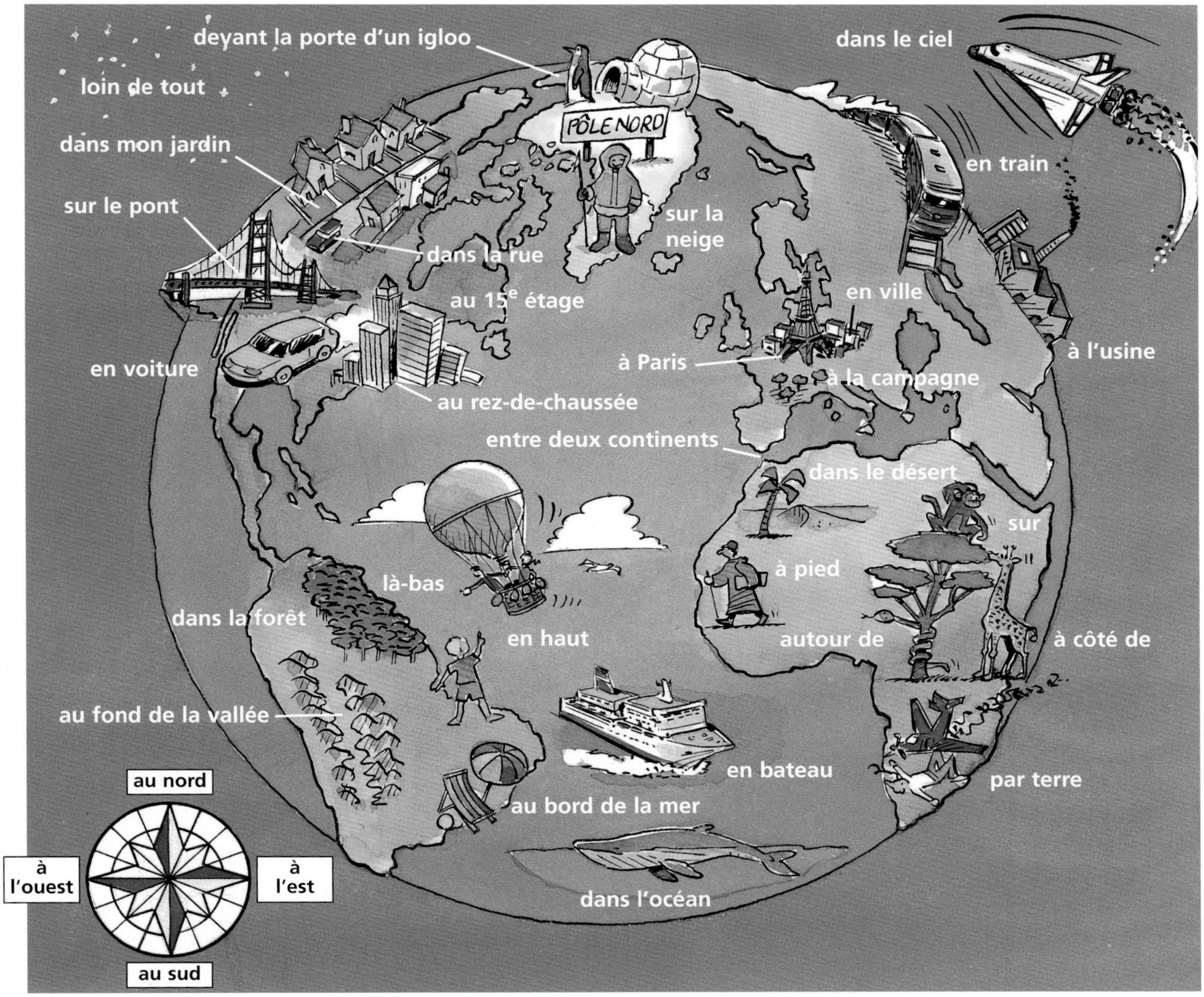

devant la porte d'un igloo
loin de tout
dans mon jardin
sur le pont
PÔLE NORD
dans le ciel
en train
sur la neige
dans la rue
au 15e étage
en ville
à l'usine
à Paris
en voiture
à la campagne
au rez-de-chaussée
entre deux continents
dans le désert
sur
à pied
là-bas
dans la forêt
en haut
autour de
à côté de
au fond de la vallée
en bateau
par terre
au bord de la mer
au nord
à l'ouest
à l'est
au sud
dans l'océan


## Expressions de lieu

**pays / régions**

en France
en Andalousie
au Canada
au Pays Basque
aux États-Unis
aux Îles Canaries

**dans la nature**

dans la rivière
dans le bois
sur la plage
au bord du lac
en haut de la montagne
en bas
au soleil
à l'ombre

**en ville**

à la gare
à l'aéroport
au cinéma
sur la place
dans la rue
chez le coiffeur
près du métro
loin du centre

**à la maison**

dans la chambre
dehors / dedans
dans le jardin
sur la terrasse
au premier étage
devant la fenêtre
chez mamie

**dans une pièce**

dans le fauteuil
devant le lit
derrière les rideaux
sur le mur
sous le lit
à droite de la table
à gauche du canapé
au milieu de la pièce
parmi les livres
entre les deux fenêtres

**Le pronom y remplace…**

◆ le lieu où l'on est.

- ● Tu seras chez toi, ce soir ?
- ■ Oui, j'y serai.

◆ le lieu où l'on va.

- ● Tu ne vas pas au ciné ?
- ■ Non, je n'y vais pas.

# RÉSUMÉ GRAMMATICAL

## L'interrogation

| Langue courante | Langue familière | Langue soutenue |
|---|---|---|
| Est-ce que vous travaillez ? | Vous travaillez ? | Travaillez-vous ? |
| Qu'est-ce que vous voulez ? | Vous voulez quoi ? | Que voulez-vous ? |
| Qui est-ce que vous cherchez ? | Vous cherchez qui ? | Qui cherchez-vous ? |
| Quand est-ce que vous viendrez ? | Vous viendrez quand ? | Quand viendrez-vous ? |
| Pourquoi est-ce que vous ne dites rien ? | Pourquoi vous ne dites rien ? | Pourquoi ne dites-vous rien ? |
| Combien est-ce que vous mesurez ? | Vous mesurez combien ? | Combien mesurez-vous ? |
| Comment est-ce que vous vous sentez ? | Comment vous vous sentez ? | Comment vous sentez-vous ? |
| Où est-ce que vous êtes allé, hier ? | Où vous êtes allé, hier ? | Où êtes-vous allé, hier ? |
| D'où est-ce que vous venez ? | D'où vous venez ? | D'où venez-vous ? |
| Quel autobus est-ce que vous avez pris ? | Quel autobus vous avez pris ? | Quel autobus avez-vous pris ? |
| À qui est-ce que vous avez téléphoné ? | À qui vous avez téléphoné ? | À qui avez-vous téléphoné ? |
| À quelle heure est-ce que vous êtes sorti de chez vous ? | À quelle heure vous êtes sorti de chez vous ? | À quelle heure êtes-vous sorti de chez vous ? |

**Attention !**

**Avec l'inversion du sujet, quand le verbe se termine par une voyelle, il faut ajouter un t entre le verbe et le pronom (3e personne du singulier).**

Travaille-t-elle ? Travaille-t-il ? A-t-elle fini ? Ira-t-on tout de suite ? Va-t-elle téléphoner ?

## La négation

| Affirmation | Négation | |
|---|---|---|
| un, une, des<br>du, de la, de l' | ne … pas de / d' | Elle n'a pas de mémoire.<br>Il n'a pas d'argent. |
| déjà<br>quelquefois, parfois<br>souvent, toujours | ne … pas encore<br>ne … jamais | Elle n'est pas encore arrivée.<br>Je n'arrive jamais en retard. |
| quelque chose, tout<br>quelqu'un | ne … rien<br>ne … personne | Tu ne demandes rien.<br>Rien n'est impossible.*<br>Je ne connais personne ici.<br>Personne n'a appelé.* |
| moi aussi, lui aussi… | … non plus | Moi non plus, je n'aime pas la purée. |

**Attention !**

**Place de la négation :**

◆ À l'impératif.
Écoute ! → N'écoute pas !
Prends-le ! → Ne le prends pas !
Parle-moi ! → Ne me parle pas !

◆ Au passé composé.
Je n'ai pas compris.
Je n'ai rien compris.
Je ne suis jamais allé à l'opéra.

◆ Au futur proche.
Elle ne va pas comprendre.
Elle ne va jamais revenir.
Je ne vais plus la revoir !

*** Si rien et personne sont sujets, on les place en début de phrase, suivis de *ne*.**
Personne ne m'aime.
Rien ne pourra m'arrêter.

**Omission de *ne* à l'oral : *ne* disparaît souvent dans le langage familier.**
C'est pas vrai ! T'es pas sympa.

# TRANSCRIPTIONS

On trouvera ici la transcription des enregistrements dont le texte ne figure pas dans les leçons, excepté celle des tableaux grammaticaux et celle des tests, qui se trouvent dans le Livre du professeur.

## MODULE 0

**Savoir épeler, c'est pratique ! Page 4. Activité 3.**
**Situation 1**
-Laurent, Jean-Louis.
-Présent...
-Lemaire, Sandra...
-C'est moi...
-Luchetti, Marius.
-Présent... euh... Madame, ce n'est pas Luchetti, c'est Luketti, c'est un nom italien, le « ch » se prononce « k ».
-Ah bon... d'accord. Tu peux t'asseoir... euh... Luche... euh... Lukkkkketti.

**Situation 2**
-Je peux vous donner jeudi à 15 heures. Ça vous va ?
-Oh là là... ch'est mille fois trop tard... mille fois trop tard... ch'ai très mal... ch'est urchent.
-... Bon... eh bien... écoutez... si c'est une urgence, venez tout de suite... Aujourd'hui, le docteur est là jusqu'à 7 heures...
-Oh merchi... merchi... Vous êtes très chentil...
-Alors, c'est madame...
-Le Leurch, Yvonne.
-Pardon, Le... ?
-Le Leurch L-E L-E-U-R-C-H.
-D'accord, madame Le Leurch. À tout de suite alors...
-À tout de suite. Merchi.

## MODULE 1

**Exprime-toi ! Page 8. Activité 4.**
1) Moi, quand j'arrive à la maison, je n'ai pas envie de parler mais ma mère me pose plein de questions sur ma journée, sur mes copains... Oh là là ! Je ne supporte pas qu'on me force à parler.
2) Tous les jours, à la radio, à la télé, dans les journaux, il y a des nouvelles atroces, des photos qui ne semblent pas réelles tellement c'est horrible. Moi, toute cette violence, ça me rend malade...
3) Faites pas ci, faites pas ça, passez par ici, ne passez pas par là... Ça suffit ! J'ai horreur qu'on décide à ma place !
4) Moi, ce qui me passionne, c'est la mode. J'adore créer des vêtements, jouer avec les couleurs, m'amuser avec les formes...
5) Il y a des gens qui croient qu'ils ont toujours raison et qui n'écoutent jamais les autres. Ça m'agace !!!
6) J'aime passer des heures et des heures à ne rien faire, sans parler, sans bouger. Je rêve, j'imagine des voyages...
7) J'adore être amoureuse. Tout me semble beau. J'ai envie de chanter, de danser, de rire. Je vois la vie en rose.

## MODULE 1

8) Quand je lui parle, je ne trouve pas mes mots. Alors je préfère lui écrire. Tu sais ? Je suis capable d'écrire des pages et des pages ! Les lettres, les messages, les mails, je trouve ça génial !
9) Moi, le bruit des voisins, ça ne me gêne pas ! Je me sens moins seule...
10) Mon frère écoute toujours sa musique trop fort. Ma mère ne supporte pas mais moi, ça m'est égal !

## MODULE 2

**Quelle aventure ! Page 16. Activité 1.**
-Salut ! Excuse-moi, mais j'ai...
-Écoute !!! Mais tu as vu l'heure ??? Et notre réunion ?!
-Je suis vraiment désolé mais, hier soir, il m'est arrivé un truc terrible...
-Qu'est-ce qui s'est passé ?
-Brr... une histoire incroyable... J'ai eu l'idée d'aller au cinéma, à la séance de 22 h 30 et...
-Tout seul ?
-Mais oui, pourquoi pas ? Si le film m'intéresse... Je suis un véritable cinéphile.
-Bon, continue ! Qu'est-ce qui t'est arrivé ?
-Ben, rien, je n'ai pas aimé le film, c'était trop lent et, en plus, en noir et blanc... alors, je me suis endormi...
-Oh là là, le cinéphile !
-Arrête ! Le plus grave, c'est qu'il y avait seulement cinq personnes dans la salle, assises derrière moi, et à la fin du film, tout le monde est sorti et personne ne m'a vu...
-C'est pas vrai ?! Tu es resté tout seul dans le cinéma ?!
-Oui, quand je me suis réveillé, il était 3 heures du matin, il n'y avait plus personne...
-Oh là là !!! Tu as eu peur ?
-Ben oui, c'était impressionnant. Il y avait une obscurité totale. Il faisait un froid de canard...
-Qu'est-ce que tu as fait ?
-J'ai appelé, j'ai crié, j'ai frappé très fort à la porte... mais c'était fermé et bien fermé !
-Mon Dieu, quelle angoisse !
-Oui, d'abord... mais après je me suis calmé et, comme en ce moment je suis très fatigué, je me suis endormi à nouveau.
-Toi alors ! Et qui est-ce qui t'a réveillé ?
-Un monsieur qui est entré dans la salle pour passer l'aspirateur !
-Qu'est-ce qu'il a dit quand il t'a vu ?
-Oh ! le pauvre ! Il n'a pas eu le temps de parler : je lui ai dit « bonjour, merci » et je suis parti en courant !
-Dis donc ! Quelle aventure !!!

## MODULE 2

**Le Cendrillon de la maison. Page 19. Activité 5.**
-Je le ferai, avec vous ou sans vous.
-D'accord, moi aussi.
-Oh non ! Pourquoi moi ?
-Désolée, ce n'est pas nous qui décidons.
-Qui vient danser ?
-Nous, vous... et lui, j'espère.
-Tu vas avec eux ?
-Écoute, toi et moi, c'est fini !
-Elle parle de lui ?
-Mais non ! ce n'est pas de lui qu'elle parle, c'est d'elle !

**X 174 113 95 041, un billet qui a du nez ! Page 20. Activité 3.**
1) -Je peux l'essayer ?
-Bien sûr !
-Il coûte combien ?
-29 euros et il existe dans toutes les couleurs !
2) -Bon, tu y vas ou tu n'y vas pas ?
-Je ne sais pas... j'ai envie d'y aller plus tard.
-Non, non, non, vas-y maintenant. Comme ça, tu peux commencer ton travail.
3) -Vous m'en donnez six, s'il vous plaît ?
-Voilà ! ça fait 4 euros 30. Ils sont tous pour vous ?
-Non, mais je pourrais bien les finir parce qu'ils sont vraiment bons !

**Page 21. Activité 4.**
1) -J'en voudrais un, s'il vous plaît.
-J'y mets de la moutarde ?
-Non, non, pas de moutarde ! Merci !
-Et voilà ! Ça fait 1 euro 50 !
2) -Qu'est-ce qu'il faut faire ?
-Faites passer par ici votre sac et votre valise, et vous posez ici vos clés...
-J'y mets aussi mon portable ?
-Oui, oui, tous les objets métalliques.

**Page 21. Activité 7.**
1) Le billet a-t-il dormi dans un portefeuille ? **BIP**
2) Est-il resté toute la nuit à la même place ? **BIP**
3) Va-t-il dans une charcuterie ? **BIP**
4) Et dans une boulangerie ? **BIP**
5) Est-il resté plus de 10 min dans la caisse de la papeterie ? **BIP**
6) Est-il entré dans un magasin de pulls ? **BIP**

## MODULE 3

**Souvenirs, souvenirs... Page 30. Activité 1.**
1) Quand j'étais petite, j'adorais jouer au Meccano et au Lego..., j'assemblais moi-même les voitures électriques de mon petit frère... Ça me passionnait ! Par contre, coiffer, habiller, déshabiller des poupées ne m'intéressait pas du tout...

## MODULE 3

2) Ah... le bon vieux temps... Ah là là... !!! Que de souvenirs...
Quand je rentrais de l'école, mon PC m'attendait dans ma chambre. Pour moi, c'était vraiment le plus beau Pentium du monde ! J'adorais Super Mario ! Mes parents me disaient tout le temps : fais tes devoirs, ne perds pas ton temps comme ça ! Alors, je les faisais rapidement pour ensuite foncer sur les jeux...
3) Moi, quand j'étais petit, à quoi je jouais ? Oh là là... quels souvenirs ! Alors voilà. J'avais une sœur (que j'ai toujours, d'ailleurs). Et une mère qui était professeur. Donc... on jouait au prof. Moi, en général, j'étais le prof, hein ! et ma sœur, l'élève (une très bonne élève !). On passait des heures à jouer au prof ! Sinon, à l'école, je me souviens qu'on jouait beaucoup au basket pendant les récrés.
4) Eh bien... nous nous amusions à plein de jeux avec mes cousines... euh... Il faut dire que nous étions plusieurs du même âge. Nous jouions à cache-cache, à la corde, à l'élastique, à la marelle... On jouait aux Indiens et on faisait des cabanes avec des couvertures sous l'escalier... et, naturellement, on jouait à la poupée !

**Horoscope spécial collège. Page 33. Activité 5.**
1) Vous ferez le tour du monde...
2) Votre ami dansera le sirtaki...
3) Vous ne viendrez pas au collège...
4) Vous mangerez une bonne pizza...
5) Votre prof se cassera le bras...
6) Vos amis ne vous téléphoneront pas...
7) Vous aurez la varicelle...
8) Vos parents seront fiers de vous...

## MODULE 4

**Jeunes espoirs de la chanson. Page 39. Activité 4.**
1) -Bonjour, Claire ! Tu fais partie d'une chorale qui est composée de cinq personnes... c'est exact ?
-Tout à fait !
-C'est une chorale professionnelle ?
-Non, pas du tout, personne n'est professionnel... tout le monde est amateur ! Nous sommes des étudiants qui adorent chanter, c'est tout !!!
-Mais c'est une chorale un peu spéciale... Vous chantez où ?
-Dans les hôpitaux, pour les enfants malades... dans les maisons de retraite...
-Et...vous n'êtes jamais parties en tournée ?
-Heu... si... quelquefois, ... on a fait des tournées dans la région pendant les vacances scolaires...
-Merci, Claire ! Bon courage et continuez !!!
2) -Et voici... Lucas Marigny ! Il vient de Nice !
-Bonjour, Lucas ! Tu vas nous interpréter « Rien ne me plaît ». C'est une chanson autobiographique ?

## MODULE 4

-Non, non, pas du tout. Il y a beaucoup de choses qui me plaisent dans la vie !!!
-Et la chanson « Je n'ai plus 16 ans » ?
-C'est faux aussi parce que j'ai encore 16 ans, jusqu'au mois prochain !!!
-Dans ta famille, il y a des chanteurs, des musiciens ?
-Bon, personne ne sait jouer d'un instrument mais tout le monde adore chanter !!!
-Ils t'ont déjà vu sur scène ?
-Non, pas encore, et ce soir non plus, ils n'ont pas pu venir...
-MAIS SI. ON EST LÀ... Luc ! Bravooooo Luc !!!
-Oh là là...
-Quelle surprise ! Bonne chance, Luc !!!

3) -Vous jouez dans un groupe de house..., vous avez déjà joué devant un public ?
-Non, pas encore... mais ça va venir !
-Vous répétez où ? Chez vous ?
-Ben oui...
-Et vos voisins ne protestent pas ?
-Si... un peu... quelquefois... mais on a insonorisé le garage...
-Vous avez envie de vous consacrer à la musique ?
-Oui, mon rêve, c'est de ne faire que ça ! que de la musique !

**Chansons génération. Page 40. Activité 1.**

-Bonjour ! De nouveau avec vous, Jean-Pierre Toucot. Voici l'heure de notre émission « Chansons génération », une émission où on entend des chansons mythiques, des chansons qui ont marqué une époque ! Nous commençons par notre concours « Trouvez la chanson », un concours où tout le monde peut gagner !
Je vous rappelle les principes du concours : vous allez entendre des indices sur une chanson légendaire. Il s'agit de trouver le plus rapidement possible quelle est la chanson choisie car, plus vite vous trouverez, plus la somme gagnée sera consistante. Nous vous rappelons notre numéro 01 55 83 87 00.
Voici le premier indice : C'est une chanson qui a eu beaucoup de succès en 1970... pas d'appel ? Deuxième indice : C'est une chanson que tout le monde connaît et qui a été traduite en dix-sept langues. Voici notre premier appel ! Allô ? Bonjour Brigitte... À quelle chanson pensez-vous ?
-Est-ce qu'il s'agit de « Ne me quitte pas » de Jacques Brel ?
Nooon, je suis désolé...
Troisième indice : C'est une chanson qui a beaucoup de versions : la version rock a été chantée par Elvis Presley, la version punk par les Sex Pistols, la version flamenco par les Gypsy Kings et la version raï par Khaled !... Pas d'appel ? Un autre indice, s'il vous plaît.
C'est une chanson que les jeunes Français chantent toujours et que le monde entier connaît sous le titre de « My way », et qui est devenue un méga tube international.
Deuxième appel : Bonjour Gérard. À quoi vous pensez ?
-Je crois qu'il s'agit de « Comme d'habitude » de Claude François.

## MODULE 4

-Bravo, vous avez trouvé la bonne réponse au quatrième indice... Je vous félicite !!!
Vous avez gagné 200 euros !

**Page 41. Activité 4.**

Voici de nouveau « Trouvez la chanson », le concours où il faut deviner le titre des chansons qui ont marqué une époque. On écoute tout de suite les indices qui vous permettront de trouver le titre de chaque chanson : C'est une chanson que tout le monde connaît en France et qui a eu un succès fulgurant en 1963. C'est une chanson qui est devenue l'emblème d'une génération et que les adolescents du monde entier ont chantée.
C'est une chanson qui parle des garçons et des filles de votre âge, et que j'adore.
C'est une chanson où l'interprète marche seule, dans la rue, l'âme en peine.

## MODULE 5

**Allô, allô... ! Page 50. Activité 1.**
**Situation 3**

-Allô, Bonsoir ! Est-ce qu'Édouard est là ?
-Édouard, quel Édouard ?
-Heu... je ne sais pas, heu... Édouard !
-Mais... c'est le père ou le fils que vous demandez ?
-Ben, le fils, je crois...
-Un moment, s'il vous plaît. Édouard ! Téléphone !
-Allô ?
-Édouard ?
-Oui ? Qui est à l'appareil ?
-Émilie.
-Émilie ? Je suis désolé mais...
-Oh, excusez-moi, je crois que je me suis trompée de numéro.

**Situation 4**

-Marianne, ça suffit ! Tu es toujours collée au téléphone !!! Tu ne peux pas dire à tes copains qu'ils t'appellent plus tôt ? Tu monopolises la ligne !
-Heu... Une minute, maman, on m'appelle sur mon portable !

**Page 51. Activité 3.**

1) Salut Monique, c'est Daniel. C'est d'accord pour demain ! On se donne rendez-vous devant le musée vers 6 heures ?
2) Bonsoir ! Ceci est un message de Valérie Dumas. La réunion de Médecins sans Frontières est reportée au mercredi 17 mars, à 17 heures. Si vous avez un empêchement, faites-le nous savoir. Merci !
3) Monique, salut ! J'ai un truc urgent à te dire. Tu peux m'appeler ? Au fait, il marche, ton portable ?
4) Ma chérie, comment ça va ? Il y a longtemps que je n'ai pas de tes nouvelles... Tu vas bien ? Rappelle-toi que samedi c'est l'anniversaire de ton père ! Je t'embrasse.

## MODULE 5

**Conseils. Page 52. Activité 1.**
-Alors, Joël ? Tu es fâché avec Noémie ?
-Oui, on ne se parle plus...
-Mais pourquoi ?
-Oh, pour rien... Je lui ai dit une bêtise... elle n'a pas apprécié et voilà !!!
-Pourquoi tu ne lui téléphones pas ?
-Non, non, je n'ose pas... et puis, si c'est ses parents qui prennent le téléphone... !
-Ben, tu leur dis que tu veux parler à Noémie !!! Pas plus difficile que ça... Mais elle n'a pas de portable ?
-Eh non, c'est ça le problème...
-Envoie-lui un mail... Tu lui dis que tu es désolé, que tu regrettes... et puis voilà...

**Page 53. Activité 6.**
1) Je te regarde, tu me regardes, il la regarde, elle le regarde, on les regarde, nous vous regardons, vous nous regardez, ils les regardent, elles les regardent.
2) Je te parle, tu me parles, il lui parle, elle lui parle, on leur parle, nous vous parlons, vous nous parlez, ils nous parlent, elles leur parlent.

**Trop, c'est trop ! Page 54. Activité 1**
1) -Tu m'en donnes un peu ?
-Non !
-Juste un peu... !
-Non !!!
-Juste un tout petit peu... !
-Ohhhhh !!! tu es pénible ! Tiens, vas-y...
-Hummm... c'est hummm... dé-li-cieux... Hummm... un vrai plaisir... hummm... vraiment très bon... !!!
-M'enfin... Ça suffit, non ? Arrête !!! Tu vas la finir !!!
-Mmmm...
2) -Je suis désolé, madame, mais votre petit ne travaille pas assez...
-Il ne travaille pas assez ? Ce n'est pas possible !
-Mais si, madame... il ne travaille pas assez... En plus, il est souvent en retard, trop souvent même !
-Trop souvent en retard ???
-Et son travail ? un vrai brouillon... Très sale, très mal présenté, énormément de fautes... vraiment trop de fautes... Thibault, c'est vraiment trop de fautes...
- Thibault ??? Mais mon fils s'appelle Julien...
3) -Alors, ça s'est bien passé hier chez Mélodie ?
-Oh... vraiment super... le top !
-Alors, raconte.
-Euh... il y avait plein de monde, trop de monde, même... des gens très classe, tu vois... Ça a été vraiment très cool...
-Ah bon ?
-On a beaucoup dansé, la musique était géniale... on est restés jusqu'à... assez tard... 10 h du mat, je crois... juste pour un brunch...
-Quelle chance !
-On a beaucoup ri, on s'est amusés comme des fous !
-C'est vraiment très bizarre, parce que moi j'y étais aussi et je ne t'ai pas vu de toute la soirée !

## MODULE 5

4) -Aïe ! Ouille ! Ça me fait mal...Tu me fais mal ! Tu en mets trop...
-Mais non... j'en mets pas trop... Il faut nettoyer tout ça...
-Non, arrête... je te jure... Ça me fait très mal... Aïe ! Ouille ! Aïe ! C'est trop ! Ouille ! Aïe !
-Oh, écoute, arrête ! Ça suffit ! Tu fais beaucoup d'histoires pour rien du tout...

**Page 54. Activité 4.**
1) Il a dormi mais... il a... peu dormi, mal dormi, assez mal dormi, trop mal dormi, beaucoup trop mal dormi. C'est pour ça qu'il ronfle !
2) Il a mangé et... il a bien mangé, très bien mangé, il a beaucoup trop bien mangé. C'est pour ça qu'il est malade !
3) Nous avons ri. Nous avons trop ri. Nous avons trop trop ri. Nous avons beaucoup trop ri.

## MODULE 6

**Les sports d'aventure. Page 60. Activité 1.**
-Ici... c'est dans le Massif central... le jour où on est allés faire du saut à l'élastique avec les copains. Je suis en train de sauter... C'est Marcel qui prend la photo.
-Oh là là quel vertige ?! Et là ?
-Ici... avec les copains encore... on vient de faire du rafting dans les Pyrénées... Je suis encore tout mouillé... les torrents sont hyper forts là-bas.
-Quelle angoisse !... Ah ! et là... c'est Yvon... ?
-Oui, ici... C'est lui. C'est en Afrique du Sud. Là, on a eu peur... hein... Il était sur le point de perdre l'équilibre. En-dessous... le vide. Dans ces moments-là, il faut croire que la chance existe !
-Vous êtes de véritables casse-cous ! C'est très dangereux, tout ça... Vous n'avez jamais peur ?
-Ben, non, nous on adore ça... Ah, regarde, ça... c'est trop ! C'est Gisèle qui va se jeter dans le vide. Elle est super, elle... C'est la reine du parapente. Elle n'a peur de rien !
-Eh bien, ce n'est pas mon cas... ne comptez jamais sur moi pour partir avec vous en vacances !
-On le sait, avec toi ce sera des vacances « pépères »...

**Un bébé à la maison, c'est aussi une aventure. Page 61. Activité 7.**
1) Guiliguiliguili... fais un petit sourire à maman...
2) Tu crois qu'elle dort encore ?
3) Elle est peut-être réveillée ?
4) Qu'est-ce que tu vas être élégante avec ce pull bleu pâle...
5) Oh, elle adore l'eau... ça va être une championne olympique...
6) Tu vas pas pleurer, là. Oh, qu'est-ce qu'il a, mon gros bébé ? Il a de la peine ?